Jean Paré

®

LES CONSERVES

Dédicace

Conserves hier, et conserves demain.

Photo de couverture

1. Confiture de framboises
   simulée page 38
2. Citrouille au vinaigre page 95
3. Cornichons à l'aneth page 79
4. Tablettes aux pommes page 55
5. Tablettes aux abricots page 55
6. Tablettes aux kiwis page 55
7. Conserve de pêches page 41
8. Antipasto page 21
9. Chutney aux mangues page 26
10. Cornichons du millionaire page 82
11. Marinades sucrées page 84
12. Poivrons au vinaigre page 83
13. Cerises au vinaigre page 94
14. Picante salsa page 28
15. Pickles à la lady Ross page 67

LES CONSERVES

Première édition, avril 1994

ISBN 1-895455-32-4

Publié et distribué par
Company's Coming Publishing Limited
C.P. 8037, succursale F
Edmonton (Alberta) Canada
T6H 4N9

Imprimé au Canada
Printed in Canada

Livres de cuisine de la collection Jean Paré

LIVRES DE CUISINE JEAN PARÉ
Français

COUVERTURE SOUPLE
- 150 DÉLICIEUX CARRÉS
- LES CASSEROLES
- MUFFINS ET PLUS
- LES DÎNERS
- LES BARBECUES
- LES TARTES
- DÉLICES DES FÊTES
- RECETTES LÉGÈRES
- LES SALADES
- LA CUISSON AU MICRO-ONDES
- LES PÂTES
- LES CONSERVES
- LES CASSEROLES LÉGÈRES *(sept. 1994)*

COLLECTION PINT SIZE
Anglais

COUVERTURE SOUPLE
- FINGER FOOD
- PARTY PLANNING
- BUFFETS

COLLECTION COMPANY'S COMING
Anglais

COUVERTURE RIGIDE
- JEAN PARÉ'S FAVORITES
  - Volume One

COUVERTURE SOUPLE
- 150 DELICIOUS SQUARES
- CASSEROLES
- MUFFINS & MORE
- SALADS
- APPETIZERS
- DESSERTS
- SOUPS & SANDWICHES
- HOLIDAY ENTERTAINING
- COOKIES
- VEGETABLES
- MAIN COURSES
- PASTA
- CAKES
- BARBECUES
- DINNERS OF THE WORLD
- LUNCHES
- PIES
- LIGHT RECIPES
- MICROWAVE COOKING
- PRESERVES
- LIGHT CASSEROLES *(sept. 1994)*

table des Matières

L'histoire de Jean Paré 6

Avant-propos 7

Ustensiles 8

Glossaire 9

Aliments pour bébés 10

Beurres et crèmes 14

Chutneys, salsas et antipasto 20

Boissons et jus 29

Fruits 31

Confitures et gelées 34

Tablettes, charquis et saucissons 51

Marmelades 59

Condiments au vinaigre 65

Condiments frais 96

Garnitures de tartes 102

Mise en conserve sous pression 109

Relishes 117

Sauces, sirops et condiments spécialisés 132

Vinaigres et huiles aromatisés 146

Table de conversion métrique 151

Index 152

Bons de commande par la poste 157

L'histoire de Jean Paré

Jean Paré est originaire d'Irma, petite ville rurale de l'est de l'Alberta (Canada). En grandissant, pendant la Dépression, Jean comprit rapidement que l'important dans la vie, c'est la famille, les amis et les petits plats mijotés à la maison. Jean tient de sa mère, Ruby Elford, son appréciation de la bonne cuisine tandis que son père, Edward Elford, loua même ses premiers essais. Jean quitta la maison familiale munie de recettes éprouvées et animée de son amour des chaudrons et du désir particulier de dévorer les livres de cuisine comme des romans!

Alors qu'elle élevait ses quatre enfants, Jean s'affairait dans sa cuisine, préparant de délicieuses et savoureuses gâteries et de succulents repas pour sa famille et tous ses amis, ce qui lui valut la réputation d'être la maman qui serait heureuse de nourrir le voisinage.

En 1963, ses enfants tous entrés à l'école, Jean offrit de pourvoir la nourriture qui serait servie à l'occasion du 50e anniversaire de l'École d'agriculture de Vermilion, aujourd'hui le Collège Lakeland. Travaillant chez elle, Jean prépara un repas pour plus de mille personnes. Cette petite aventure marqua les débuts d'un florissant service de traiteur qui prospéra pendant plus de dix-huit ans et qui permit à Jean de tester une foule de nouvelles idées et de s'enquérir sur-le-champ de l'avis de ses clients — dont les assiettes vides et les mines réjouies disaient long! Qu'il s'agisse de préparer des amuse-gueule pour une réception à domicile ou de servir un repas chaud à 1 500 personnes, Jean Paré avait la réputation de servir de la bonne nourriture à un prix abordable, avec le sourire.

Souvent, les admirateurs de Jean en quête de ses secrets culinaires lui demandaient «Pourquoi n'écrivez-vous pas un livre de cuisine?». À l'automne 1980, Jean faisait équipe avec Grant Lovig, son fils, et ensemble, ils fondaient Company's Coming Publishing Ltd. qui lançait un premier titre, *150 Delicious Squares*, le 14 avril 1981. Quoique personne ne le savait à l'époque, ce livre était le premier d'une série qui deviendrait la collection de livres de cuisine la plus vendue au Canada. Company's Coming sortit un nouveau titre chaque année pendant six ans, puis deux par année à compter de 1987.

L'époque où Jean Paré était installée chez elle, dans une chambre d'ami, est bel et bien révolue. Aujourd'hui, elle travaille dans une grande cuisine d'essai moderne sise à Vermilion (Alberta), non loin de la maison qu'elle et son mari, Larry, ont construite. Company's Coming emploie à temps plein des agents de commercialisation dans les grands centres canadiens et dans quelques villes américaines. Le siège social de l'entreprise est établi à Edmonton (Alberta) et regroupe les fonctions de distribution, de comptabilité et d'administration dans de nouveaux bureaux de 20 000 pieds carrés. Les livres de cuisine Company's Coming sont vendus partout au Canada et aux États-Unis et dans certains pays étrangers. La traduction vers l'espagnol et le français a débuté en 1990. En 1993, Company's Coming a lancé une nouvelle série anglaise, Pint Size Books. Il s'agit de livres de cuisine de format réduit, peu chers, qui abordent des sujets précis. Et bien sûr, les recettes s'inscrivent dans la tradition Jean Paré, celle qui a fait le succès de ses livres et lui a valu la confiance de ses lecteurs.

Jean Paré a un penchant pour les recettes simples aux ingrédients bon marché et faciles à se procurer. Ses merveilleuses recettes, qui ont su résister au passage du temps et qui sont souvent autant de fragments de patrimoine familial, constituent un atout dont aucun cuisinier ne saurait se passer. C'est donc avec grand plaisir que nous vous invitons vous aussi à goûter la tradition.

avant-propos

Nos grands-mères faisaient des conserves par nécessité, à la fois par souci d'économie et aussi pour être sûres de ne pas manquer de provisions pendant l'hiver. Dans la plupart des familles de souche rurale, la conservation des fruits et des légumes de la récolte se pratique depuis longtemps. Avec les années, à mesure que les conserves commerciales se sont répandues de façon de plus en plus généralisée, l'art de la conservation s'est un peu perdu. Il connaît aujourd'hui un renouveau. En effet, bien des gens souhaitent conserver les produits frais qu'ils font pousser dans leurs jardins, non seulement pour le plaisir et la satisfaction que cela apporte, mais aussi pour savoir exactement quels ingrédients renferme chaque bocal — des aliments frais, apprêtés à la maison, qui ne contiennent ni additifs, ni agents chimiques. Ma famille déguste avec grand plaisir les aliments délicieux qui garnissent les tablettes de mon garde-manger.

LES CONSERVES contient des recettes de toute sorte, allant des en-cas comme les tablettes aux fruits et les charquis (tout indiqués pour le ski), en passant par divers condiments savoureux, sans oublier les traditionnels marinades, confitures, gelées, sauces, sirops et plus encore. On y trouve même la recette d'aliments pour bébés! Pourtant, il n'y a pas lieu d'être intimidé — ces recettes sont simples et n'exigent pas beaucoup de temps. Les quantités sont petites, mais se multiplient sans difficulté.

Lorsque les fruits et les légumes frais ne sont pas en saison, mais que l'envie vous prend de faire de la confiture ou de la gelée, vous pouvez substituer des fruits ou des légumes surgelés non additionnés d'eau ou de sucre. Il n'est pas nécessaire d'ajouter de la pectine à la plupart des confitures, des gelées et des marmelades dont les recettes sont données dans ce livre. La conservation se fait parfois au congélateur, parfois par séchage, ou dessiccation. Quand les conserves ont refroidi, entreposez-les dans un endroit frais et sombre.

La conservation des aliments procure une grande satisfaction. Vous voudrez essayer les prunes épicées, une recette de mon arrière grand-mère qui est très appréciée dans ma famille. Celle du chow chow des Maritimes, qui vient de ma grand-mère et de ma mère, est à essayer. Le chutney aux mangues sort définitivement de l'ordinaire : personne ne saura deviner quel fruit il contient. Les pickles à la lady Ross régalent autant les papilles que les yeux. Le saucisson au poulet et la salsa picante sont de rigueur quand vous préparez une petite fête. Il va sans dire qu'après votre première expérience, vous voudrez augmenter les proportions de ces recettes. Avant de commencer, parcourez la liste de la page 8 pour voir de quels ustensiles vous avez besoin.

Vous aurez sûrement beaucoup de plaisir à préparer ces délicieuses conserves pour votre famille et vos amis et à les leur servir. Il sera certainement égalé par le plaisir que vous tirerez d'offrir un cadeau issu de votre cuisine, surtout quand vous annoncerez fièrement «je l'ai préparé moi-même».

Jean Paré

Ustensiles

Autoclave : grande marmite munie d'une grille sur laquelle on pose les bocaux pour les surélever et les espacer les uns des autres. Elle est munie d'un couvercle et peut contenir 7 bocaux de 500 mL (1 chopine) ou de 1 L (1 pte).

Balance : petite balance de cuisine graduée jusqu'à 2,5 ou 3 kg (5 ou 6 lb).

Bocaux : contiennent soit 250 mL (1 tasse, 1 demiard), soit 500 mL (2 tasses, 1 chopine), soit 1 L (4 tasses, 1 pinte). Il existe aussi des bocaux plus vieux, non étalonnés au système métrique, qui contiennent respectivement 225, 450 et 900 mL.

Coton non blanchi et étamine : tissu servant à confectionner les mousselines à gelée et les sachets d'épices.

Couvercles : ceux qui sont munis d'une attache métallique sont préférables parce qu'on voit tout de suite si la fermeture est hermétique. Pour bien sceller les couvercles, suivre les consignes du fabricant.

Cuillères : il s'agit soit de cuillères à long manche pour remuer le contenu d'une marmite profonde, soit d'une écumoire pour sortir les aliments d'un liquide chaud.

Entonnoir large : très pratique pour le remplissage des bocaux. Il s'emboîte sur le goulot des bocaux et évite d'en salir l'ouverture.

Étiquettes : pour marquer ce que contient chaque bocal et la date à laquelle il a été rempli.

Hachoir ou broyeur : appareil qui sert à broyer le zeste des fruits pour les marmelades et les légumes pour les relishes, sans trop les liquéfier.

Marmite ou bassine à confiture : doit pouvoir contenir quatre fois la quantité à cuire et être suffisamment grande pour contenir l'expansion qui se produit quand une gelée bout vivement. Une marmite doit être pourvue d'un fond large pour permettre la réduction par ébullition, donc l'évaporation rapide, des confitures, des chutneys, etc.

Mélangeur ou robot culinaire : appareil très pratique pour hacher et trancher les aliments ou les réduire en purée.

Moulin en forme de cône : appareil qui sert à séparer la pulpe de la purée. On peut aussi y poser une mousseline à gelée pour laisser le jus dégoutter.

Pinces : pour sortir les couvercles de l'eau chaude.

Pinces à bocaux : servent à soulever les bocaux par le goulot.

Sachet d'épices : double épaisseur d'étamine dans laquelle on noue des épices entières. Quand le mélange d'épices contient des graines, on peut se servir d'une pochette en coton solide pour les empêcher de passer au-travers du tissu.

Glossaire

Bain d'eau chaude : remplir l'autoclave d'eau à la moitié. Poser les bocaux sur la grille, puis poser la grille au fond de l'autoclave. Ajouter de l'eau bouillante (sans la verser directement sur les bocaux) jusqu'à couvrir les bocaux de 5 cm (2 po) d'eau. Couvrir. Porter à ébullition. Commencer à calculer le temps de cuisson. Au besoin, ajouter de l'eau bouillante pour maintenir le niveau d'eau. Seuls les aliments très acides, comme les fruits et les tomates, ont besoin d'être conditionnés.

Bulles d'air : racler l'intérieur des bocaux avec le manche d'un couteau ou d'une spatule pour dégager les bulles d'air qui peuvent s'y être formées.

Ébullition vive ou pleine ébullition : point où l'ébullition ne peut être arrêtée en remuant.

Fruit : comme les fruits moins mûrs contiennent plus de pectine que ceux qui le sont plus, il faut toujours choisir des fruits moins mûrs quand on fait des confitures, des gelées ou des marmelades. Il faut parfois une semaine pour qu'une marmelade prenne, et 24 heures pour une gelée.

Marmite ouverte : confitures, gelées, salsas, chutneys, relishes et ketchups cuisent dans une marmite. Plus la marmite est épaisse, mieux c'est. La préparation en ébullition est versée directement dans les bocaux chauds stérilisés qui sont scellés sur-le-champ. Plus une marmite est large, plus la surface en ébullition est importante, ce qui accélère la rapidité de réduction par évaporation de la préparation. On conseille de conditionner les bocaux dans un bain d'eau chaude pendant 10 minutes par mesure de précaution.

Mise en conserve sous pression : suivre les instructions fournies avec l'autoclave.

Pour rattraper une gelée : la méthode la plus simple et la plus rapide de rattraper une gelée est de la réduire jusqu'à ce qu'elle soit chaude. Faire mollir un sachet de 7 g (¼ oz) de gélatine non parfumée dans 50 mL (¼ tasse) d'eau pendant 1 minute. L'incorporer à la gelée chaude jusqu'à ce qu'elle soit dissoute. Cette proportion de gélatine suffit pour environ 675 mL (3 tasses) de gelée. Remettre la gelée dans le bocal et le sceller.

Stérilisation : laver les bocaux au lave-vaisselle, au cycle normal, pour les stériliser. Les remplir pendant qu'ils sont encore chauds. On peut aussi verser 7 à 10 cm (3 à 4 po) d'eau bouillante dans une marmite et y déposer les bocaux, avec l'ouverture au fond. Laisser bouillir pendant 10 minutes. Remplir chaque bocal au moment de le sortir de l'eau.

Temps de repos : les condiments doivent reposer quelques semaines après la mise en bocaux pour que les goûts se marient.

ALIMENTS POUR BÉBÉS

Il est très facile de préparer des aliments pour bébés à la maison, surtout si l'on possède un mélangeur ou un robot, autrement il faut les passer au tamis. On n'ajoute jamais de sucre, de sel ou d'épices aux aliments pour bébés. On les congèle dans un bac à glaçons, en portions d'environ 30 mL (2 c. à soupe). Pour servir, il suffit d'ajouter un peu d'eau ou de lait entier à la purée pour obtenir la consistance voulue. Les aliments perdent moins de leurs éléments nutritifs si on les cuit à l'étuvée dans un panier-marguerite en acier inoxydable. Cet ustensile est muni de pétales qui se relèvent et s'abaissent pour épouser le diamètre intérieur du récipient au fond duquel il est posé.

PURÉE DE RAGOÛT DE BŒUF

Comme la viande et les légumes sont mélangés, il faut plus d'un cube pour faire un repas complet.

Bœuf maigre, en cubes	1 lb	454 g
Eau	1 1/2 tasse	375 mL
Céleri, tranché	1/2 tasse	125 mL
Haricots verts, tranchés	8	8
Carottes, tranchées	1 tasse	250 mL
Pommes de terre, en cubes	2 tasses	500 mL
Lait entier, environ	1 1/2 tasse	375 mL

Cuire le bœuf dans l'eau pendant 20 minutes.

Ajouter les 4 ingrédients suivants. Porter à ébullition. Cuire à découvert jusqu'à ce que les légumes soient tendres. Réduire en purée au mélangeur.

Ajouter du lait entier jusqu'à obtenir la consistance voulue. Verser la purée dans un bac à glaçons. Congeler. Démouler les cubes et les conserver au congélateur dans un sac de plastique ou un contenant hermétique. Donne 36 à 38 cubes.

PURÉE DE RAGOÛT DE PORC : Substituer du porc cuit au bœuf. Préparer tel qu'indiqué ci-dessus.

PURÉE DE BŒUF : Mettre seulement du bœuf cuit et de l'eau. Préparer tel qu'indiqué ci-dessus.

PURÉE DE PORC : Mettre seulement du porc cuit et de l'eau. Préparer tel qu'indiqué ci-dessus.

PURÉE DE VEAU : Mettre seulement du veau cuit et de l'eau. Préparer tel qu'indiqué ci-dessus.

PURÉE DE CAROTTES

Comme légume, les carottes sont aussi savoureuses que colorées.

Carottes, pelées, en gros morceaux	1 lb	454 g
Eau de cuisson, environ	¼ tasse	50 mL

Si les carottes sont fraîches du jardin, on peut les brosser au lieu de les éplucher. Il ne faut pas les couper en morceaux trop petits sinon la purée sera trop liquide. Mettre les carottes dans un panier-marguerite posé au-dessus de l'eau bouillante dans une casserole. Couvrir et cuire 10 à 20 minutes, selon la fraîcheur des carottes, jusqu'à ce qu'elles soient tendres.

Réduire les carottes en purée au mélangeur, en ajoutant de l'eau de cuisson jusqu'à obtenir la consistance voulue. Verser la purée dans un bac à glaçons. Congeler. Démouler les cubes et les conserver au congélateur dans un sac de plastique ou un contenant hermétique. Donne 14 cubes.

Photo à la page 35.

PURÉE DE PETITS POIS

Bébé devra se contenter de cette purée en attendant de pouvoir cueillir et écosser lui-même les petits pois.

Petits pois frais, écossés	4 tasses	1 L
Eau de cuisson réservée, environ	¼ tasse	50 mL

Mettre les petits pois dans un panier-marguerite posé au-dessus de l'eau bouillante dans une casserole. Cuire 10 à 15 minutes sous couvert jusqu'à ce que les pois soient tendres.

Réduire les petits pois en purée au mélangeur, en ajoutant de l'eau de cuisson jusqu'à obtenir la consistance voulue. Verser la purée dans un bac à glaçons. Congeler. Démouler les cubes et les conserver au congélateur dans un sac de plastique ou un contenant hermétique. Donne 14 cubes.

Photo à la page 35.

PURÉE DE POULET

Cette purée convient particulièrement aux petits qui n'ont pas encore de dents.

Poitrines de poulet, en moitiés, dépouillées	2	2
Céleri, haché	1/4 tasse	50 mL
Carottes, hachées	1/4 tasse	50 mL
Eau	1 1/2 tasse	375 mL
Bouillon ou lait entier, environ	5 c. à soupe	75 mL

Combiner les 4 premiers ingrédients dans une grande casserole. Cuire sous couvert pendant 20 à 30 minutes, jusqu'à ce que le poulet soit tendre. Ôter les os et couper le poulet en morceaux. Réduire en purée environ la moitié du poulet et la moitié des légumes avec 75 mL (1/3 tasse) de bouillon. Répéter avec le reste des ingrédients. Combiner les deux purées dans un bol.

Ajouter du bouillon ou du lait jusqu'à obtenir la consistance voulue. Verser la purée dans un bac à glaçons. Congeler. Démouler les cubes et les conserver au congélateur dans un sac de plastique ou un contenant hermétique. Donne 14 cubes.

Photo à la page 35.

PURÉE DE POMMES

La purée convient pour les bébés, mais les jeunes enfants découvrent tôt les pommes fraîches.

Pommes sucrées mûres (McIntosh par exemple)	1 lb	454 g
Eau	1/2 tasse	125 mL

Ôter les tiges et les styles des pommes. Les couper en quartiers, puis en morceaux plus petits, sans les peler ni les épépiner. La purée est moins sure si les pommes cuisent ainsi. Mettre les pommes et l'eau dans une casserole. Porter à ébullition sous couvert, puis laisser mijoter à feu doux pendant 15 à 20 minutes, jusqu'à ce que les pommes soient tendres. Les passer au moulin. Recueillir la purée dans un bol et y ajouter de l'eau de cuisson réservée jusqu'à obtenir la consistance voulue. Si la purée est faite au mélangeur, on peut épépiner les pommes avant la cuisson. Si le mélangeur ne broie pas la peau des pommes, on peut les peler très fin avant de les cuire. Verser la purée dans un bac à glaçons. Congeler. Démouler les cubes et les conserver au congélateur dans un sac de plastique ou un contenant hermétique. Donne 14 cubes.

Photo à la page 35.

PURÉE DE BETTERAVES

Il y a toujours des bébés qui réussissent à se barbouiller les joues avec ce fard improvisé.

Betteraves, avec au moins 2,5 cm (1 po) de fanes	1 1/4 lb	570 g
Eau	3 tasses	750 mL
Eau, environ	1/4 tasse	60 mL

Mettre les betteraves et la première quantité d'eau dans une casserole. Porter à ébullition sous couvert. Laisser mijoter jusqu'à ce que les betteraves soient tendres. Choisir des betteraves de taille égale pour que la cuisson soit uniforme. Égoutter. Passer chaque betterave sous l'eau froide et en dégager la peau. Jeter les fanes.

Hacher les betteraves puis les passer au mélangeur. Les réduire en purée, en ajoutant de l'eau jusqu'à obtenir la consistance voulue. Verser la purée dans un bac à glaçons. Congeler. Démouler les cubes et les conserver au congélateur dans un sac de plastique ou un contenant hermétique. Donne 16 cubes.

PURÉE DE HARICOTS VERTS

Une belle purée verte qui plaira à bébé.

Haricots verts tendres	1 lb	454 g
Eau de cuisson, environ	1/4 tasse	60 mL

Casser les extrémités des haricots verts, puis couper chaque haricot en 3 ou 4 morceaux. Mettre le tout dans un panier-marguerite posé au-dessus de l'eau bouillante, dans une casserole. Couvrir et cuire les haricots à l'étuvée pendant 10 à 15 minutes, jusqu'à ce qu'ils soient tendres. Les réduire en purée au mélangeur, en ajoutant de l'eau jusqu'à obtenir la consistance voulue. Verser la purée dans un bac à glaçons. Congeler. Démouler les cubes et les conserver au congélateur dans un sac de plastique ou un contenant hermétique. Donne 14 cubes.

PURÉE DE PÊCHES

Cette purée au goût prononcé plaît même aux grandes personnes.

Pêches, pelées et tranchées, environ 700 g (1½ lb)	**2 tasses**	**500 mL**
Jus de cuisson, additionné d'eau au besoin	**⅓ tasse**	**75 mL**

Plonger les pêches dans de l'eau bouillante pendant 1 minute. Les refroidir à l'eau froide. Les peler, puis les trancher et jeter les noyaux. Mettre les pêches et l'eau dans une casserole. Porter à ébullition sous couvert, puis laisser mijoter 15 à 20 minutes jusqu'à ce que les pêches soient tendres. Réduire en purée au mélangeur, en ajoutant du jus de cuisson et de l'eau jusqu'à obtenir la consistance voulue. Verser la purée dans un bac à glaçons. Congeler. Démouler les cubes et les conserver au congélateur dans un sac de plastique ou un contenant hermétique. Donne 14 cubes.

PURÉE D'ABRICOTS : Cuire 454 g (1 lb) d'abricots non pelés dans 60 mL (¼ tasse) d'eau pendant 10 à 15 minutes. Préparer tel qu'indiqué ci-dessus. Donne 16 cubes.

PURÉE DE NECTARINES : Substituer 500 mL (2 tasses) de nectarines aux pêches. Il n'est pas nécessaire de les peler. Préparer tel qu'indiqué ci-dessus. Donne 14 cubes.

PURÉE DE POIRES : Cuire 680 g (1½ lb) de poires pelées, épépinées et coupées en morceaux dans 75 mL (⅓ tasse) d'eau pendant 20 à 30 minutes. Finir la préparation tel qu'indiqué ci-dessus. Donne 18 cubes.

PURÉE DE PRUNEAUX : Rincer 280 g (10 oz) de pruneaux dénoyautés à l'eau chaude. Les cuire sous couvert dans 250 mL (1 tasse) d'eau pendant 45 minutes jusqu'à ce qu'ils soient mous. Réduire les pruneaux et le jus en purée dans le mélangeur. Finir la préparation tel qu'indiqué ci-dessus. Donne 14 cubes de délicieuse purée sucrée.

BEURRE DE FRAISES

Cette recette donne une petite quantité, mais on peut la doubler.

Fraises fraîches, entières	**3 tasses**	**675 mL**
Jus de citron	**2 c. à soupe**	**30 mL**
Sucre granulé	**2 tasses**	**450 mL**

Écraser les fraises ou les réduire en purée. En mesurer 500 mL (2 tasses) et les combiner avec le sucre et le jus de citron dans une casserole. Chauffer en remuant à feu vif jusqu'à ce que le sucre soit dissous. Porter à ébullition. Laisser bouillir 35 minutes, jusqu'à ce qu'une cuillerée de la préparation posée sur une soucoupe froide ne coule pas. Remplir des bocaux chauds stérilisés jusqu'à 6 mm (¼ po) du couvercle. Sceller les bocaux. Donne 250 mL (1 demiard) et 1 petit bocal.

Photo à la page 89.

BEURRE DE PÊCHES

Ce beurre a une saveur délicate qui se marie bien avec toutes sortes de pains.

Pêches, pelées, dénoyautées et écrasées, environ 1,5 kg (3 $\frac{1}{4}$ lb)	5 tasses	1,13 L
Sucre granulé	1 $\frac{3}{4}$ tasse	400 mL
Jus de citron, frais ou en bouteille	1 c. à soupe	15 mL
Essence d'amande	$\frac{1}{4}$ c. à thé	1 mL

Plonger les pêches dans l'eau bouillante, 2 à la fois, et les y laisser de 30 secondes à 1 minute. Peler les pêches et en ôter les noyaux puis les écraser ou les réduire en purée. Mêler la chair avec le sucre, le jus de citron et l'essence d'amande dans une grande casserole. Porter à ébullition à feu moyen, en remuant souvent. Laisser bouillir pendant 1 $\frac{1}{4}$ heure en remuant souvent, jusqu'à ce que la préparation épaississe. Elle est prête lorsqu'elle ne coule pas quand on en pose une cuillerée sur une soucoupe froide. Verser le beurre dans des bocaux chauds stérilisés jusqu'à 6 mm ($\frac{1}{4}$ po) du couvercle. Sceller les bocaux. Donne 500 mL (2 demiards) et 1 petit bocal.

BEURRE D'ABRICOTS : Substituer des abricots aux pêches. Il n'est pas nécessaire de peler les abricots.

BEURRE DE PRUNEAUX

On peut laisser la préparation épaissir au four ou sur le rond. Le beurre est foncé et délicieux.

Prunes à pruneaux, en moitiés, dénoyautées	2 $\frac{1}{2}$ lb	1,15 kg
Sucre granulé	2 $\frac{1}{4}$ tasses	500 mL
Jus de citron, frais ou en bouteille	1 c. à soupe	15 mL
Cannelle moulue	$\frac{1}{4}$ c. à thé	1 mL

Écraser les prunes à la main ou au robot. Verser le tout dans un récipient de 22 x 33 cm (9 x 13 po).

Ajouter les autres ingrédients. Remuer. Cuire au four à 325 °F (160 °C) en remuant toutes les 30 minutes jusqu'à ce que la préparation épaississe, environ 2 $\frac{1}{2}$ heures. On peut aussi cuire les fruits dans une marmite, en remuant à l'occasion en début de cuisson, puis de plus en plus souvent à mesure que la préparation épaissit. Quand le beurre est prêt, il ne coule pas quand on en pose une cuillerée sur une soucoupe très froide. Remplir des bocaux chauds stérilisés jusqu'à 6 mm ($\frac{1}{4}$ po) du couvercle. Sceller les bocaux. Donne 500 mL (2 demiards) et 1 petit bocal.

BEURRE DE POMMES

Ce beurre est l'un des plus communs. Il est délicieux sur des muffins ou des pains, et même comme garniture dans un sandwich au rôti de porc.

Pommes surettes, en quartiers	4 lb	1,81 kg
Sucre granulé	2 tasses	450 mL
Jus de citron, frais ou en bouteille	3 c. à soupe	50 mL
Cannelle	1 c. à thé	5 mL

Ôter les tiges et les styles des pommes puis les couper en quartiers. Mettre les pommes dans une marmite avec les pépins, les cœurs et la peau. Y ajouter le sucre, le jus de citron et la cannelle. Remuer. Laisser les pommes reposer jusqu'à ce qu'elles rendent du jus. Couvrir. Chauffer à feu doux. Porter à ébullition. Cuire à feu doux, à découvert, en remuant souvent, jusqu'à ce que les pommes soient tendres. Les passer au moulin. Recueillir la chair dans un petit plat à rôtir en émail. Cuire au four à découvert à 325 °F (160 °C) en remuant toutes les 30 minutes jusqu'à ce que la préparation épaississe, soit entre 2 heures et 2 1/2 heures. Pour vérifier si le beurre est prêt, en poser une cuillerée sur une soucoupe froide : il ne devrait pas couler. On peut aussi cuire le beurre dans une marmite sur la cuisinière, en remuant souvent. Remplir des bocaux chauds stérilisés jusqu'à 6 mm (1/4 po) du couvercle. Sceller les bocaux. Donne 1 L (4 demiards).

1. Soupe au bœuf page 116
2. Vinaigre à l'estragon page 149
3. Vinaigre au basilic page 147
4. Vinaigre d'hiver page 150
5. Vinaigre à la ciboulette page 147
6. Saumon en conserve page 114
7. Huile à l'ail page 148
8. Vinaigre à l'aneth page 148
9. Vinaigre aux framboises page 146

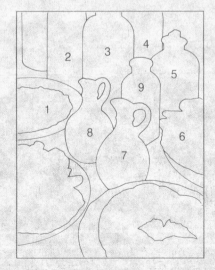

BEURRE DE BANANES

Ce beurre au parfum délicat est bon sur des scones, du pain grillé ou du pain de Savoie.

Bananes, écrasées	1 tasse	250 mL
Ananas broyé dans son jus, en conserve	1 tasse	250 mL
Jus de citron, frais ou en bouteille	2 c. à thé	10 mL
Cerises au marasquin, hachées	2 c. à soupe	30 mL
Sucre granulé	3 $\frac{1}{2}$ tasses	875 mL
Pectine liquide	3 oz	85 mL

Verser les 5 premiers ingrédients dans une grande casserole. Porter à ébullition vive en remuant sans arrêt. Laisser bouillir 1 minute. Retirer du feu.

Incorporer la pectine. Remuer et écumer pendant 5 minutes pour empêcher les fruits de flotter. Remplir des bocaux chauds stérilisés jusqu'à 6 mm ($\frac{1}{4}$ po) du couvercle. Sceller les bocaux. Donne 1 L (4 demiards).

Photo à la page 143.

CRÈME AU CITRON

Ce délice onctueux et un peu suret fait une excellente garniture de tartelettes. Il faut conserver la crème au réfrigérateur après l'ouverture. On peut aussi la garder au congélateur et s'en servir au besoin.

Gros œufs	6	6
Zeste de citron râpé	1	1
Jus des citrons	6	6
Sucre granulé	1 $\frac{1}{4}$ tasse	275 mL
Beurre ou margarine	6 c. à soupe	100 mL

Battre les œufs dans un bain-marie en acier inoxydable parce qu'un récipient en aluminium peut noircir le jaune du citron.

Incorporer les autres ingrédients. Cuire au-dessus d'un bain d'eau bouillante pendant 15 à 20 minutes, jusqu'à ce que la préparation soit lisse et épaisse. Remuer sans arrêt pendant la cuisson. Quand la crème est prête, elle devrait rester en pics mous. Laisser refroidir, puis répartir dans des récipients en laissant 2,5 cm (1 po) à l'ouverture. Congeler. Se conserve au réfrigérateur 4 semaines après l'ouverture. Donne 675 mL (3 tasses).

Photo à la page 143.

CRÈME À L'ABRICOT

Cette excellente garniture de tartelettes a beaucoup de goût.

Jus de citron, frais ou en bouteille	1 c. à soupe	15 mL
Abricots, dénoyautés et hachés	1 lb	454 g
Gros œufs, battus	6	6
Sucre granulé	1¼ tasse	275 mL

Verser le jus de citron dans le robot. Y ajouter les abricots et travailler le tout jusqu'à obtenir une purée assez homogène.

Faire mousser les œufs dans un bain-marie. Y ajouter le sucre et la purée de fruits. Cuire en remuant constamment au-dessus d'un bain d'eau frémissante jusqu'à ce que le sucre soit dissous, que la préparation épaississe et qu'elle reste en pics mous. La cuisson prend 15 à 20 minutes. Laisser refroidir, puis répartir la crème dans des récipients en laissant 2,5 cm (1 po) à l'ouverture. Donne 1 L (4 demiards).

Photo à la page 71.

CHUTNEY AUX BANANES

Ce délicieux condiment, qui relève n'importe quelle viande, contient des dattes et de l'ananas.

Oignons moyens, hachés	3	3
Bananes moyennes, en dés	7	7
Dattes, hachées	2¼ tasses	550 mL
Ananas broyé dans son jus, en conserve	14 oz	398 mL
Raisins secs	1½ tasse	375 mL
Gingembre cristallisé, broyé	4 oz	113 g
Sel de table	1 c. à thé	5 mL
Poudre de cari	1 c. à thé	5 mL
Épices mélangées pour marinades, nouées dans une étamine double	1½ c. à thé	7 mL
Vinaigre blanc	1½ tasse	375 mL
Sucre granulé	½ tasse	125 mL

Mettre tous les ingrédients dans une marmite. Porter à ébullition à feu moyen, en remuant souvent jusqu'à ce que le sucre soit dissous. Laisser mijoter à découvert environ 20 minutes, jusqu'à obtenir la consistance voulue. À mesure que la préparation épaissit, remuer plus souvent. Jeter le sachet d'épices. Remplir des bocaux chauds stérilisés jusqu'à 6 mm (¼ po) du couvercle. Sceller les bocaux. Donne 2 L (4 chopines).

Photo à la page 125.

Ce hors-d'œuvre est toujours prêt à servir, avec des craquelins.

Bouquets de chou-fleur	2 tasses	500 mL
Petits oignons blancs, pelés et grossièrement hachés	2 tasses	500 mL
Poivron vert, épépiné et haché	1	1
Poivron rouge, épépiné et haché	1	1
Céleri, tranché	1 tasse	250 mL
Carottes, râpées	1 tasse	250 mL
Olives mûres, dénoyautées et grossièrement hachées	1 tasse	250 mL
Olives vertes farcies aux piments doux, hachées ou déchiquetées	1 tasse	250 mL
Sel de table	1 c. à thé	5 mL
Poivre	$\frac{1}{8}$ c. à thé	0,5 mL
Épices mélangées pour marinades, nouées dans une étamine double	2 c. à soupe	30 mL
Pâte de tomates, en conserve	$5\frac{1}{2}$ oz	156 mL
Vinaigre blanc	1 tasse	250 mL
Huile de cuisson	$\frac{1}{2}$ tasse	125 mL
Eau	$\frac{1}{4}$ tasse	60 mL
Champignons tranchés, en conserve, égouttés	10 oz	284 mL
Haricots verts coupés, en conserve ou frais et cuits	1 tasse	250 mL
Thon émietté, en conserve, égoutté	7 oz	198 g

Mettre les 11 premiers ingrédients dans une marmite.

Mêler ensemble dans un petit bol la pâte de tomates, le vinaigre, l'huile de cuisson et l'eau. Verser ce mélange sur les légumes, dans la marmite. Porter à ébullition à feu moyen, en remuant souvent. Laisser frémir 45 minutes en remuant souvent pour empêcher la préparation d'attacher au fond de la marmite. Ajouter de l'eau, au besoin, pour la même raison.

Ajouter les champignons, les haricots verts et le thon. Mélanger. Laisser bouillir 1 minute de plus. Jeter le sachet d'épices. Répartir dans des récipients de congélation en laissant 2,5 cm (1 po) à l'ouverture. Sceller hermétiquement et congeler. Donne 2 L (8 demiards).

Photo à la page 53 et sur la couverture.

CHUTNEY AUX POMMES

Ce condiment est délicieux avec le porc, l'oie, le canard ou une viande froide.

Pommes surettes, pelées, épépinées et coupées en dés	2 1/4 lb	1 kg
Oignons moyens, hachés fin	2	2
Raisins secs, grossièrement hachés	2 1/2 tasses	625 mL
Cassonade, tassée	3 tasses	750 mL
Graines de moutarde	4 c. à soupe	60 mL
Gingembre moulu	2 c. à thé	10 mL
Sel de table	1 1/2 c. à thé	7 mL
Poivre de Cayenne	1/4 c. à thé	1 mL
Vinaigre de cidre	3 tasses	750 mL

Combiner tous les ingrédients dans une grande casserole. Chauffer à feu moyen en remuant jusqu'à ce que le sucre soit dissous. Porter à ébullition en remuant souvent. Laisser frémir à découvert pendant environ 35 minutes, jusqu'à ce que la préparation épaississe. Remuer plus souvent en fin de cuisson pour empêcher le chutney d'attacher. Remplir des bocaux chauds stérilisés jusqu'à 6 mm (1/4 po) du couvercle. Sceller les bocaux. Donne 1,75 L (3 1/2 chopines).

Photo à la page 125.

CHUTNEY À L'ANANAS

Ce condiment consistant et coloré est très bon avec du jambon ou même avec du fromage à la crème, sur des craquelins.

Ananas frais, pelé et haché ou ananas broyé, dans son jus, en conserve	4 tasses	1 L
Vinaigre de cidre	1 tasse	250 mL
Cassonade, tassée	1 tasse	250 mL
Raisins secs dorés	1 tasse	250 mL
Poivron vert, épépiné et émincé	1/2	1/2
Amandes effilées, grillées	1/4 tasse	60 mL
Gousse d'ail, émincée	1	1
Gingembre moulu	1/2 c. à thé	2 mL
Sel de table	1/2 c. à thé	2 mL
Poivre de Cayenne	1/8 c. à thé	0,5 mL

Mêler tous les ingrédients dans une grande casserole. Chauffer à feu moyen en remuant jusqu'à ce que le sucre soit dissous. Porter à ébullition. Laisser mijoter à découvert pendant environ 35 minutes, jusqu'à ce que la préparation épaississe. Remuer plus souvent à mesure que le chutney épaissit, pour l'empêcher d'attacher. Remplir des bocaux chauds stérilisés jusqu'à 6 mm (1/4 po) du couvercle. Sceller les bocaux. Donne 750 mL (3 demiards).

CHUTNEY AUX CANNEBERGES

Ce condiment suret, couleur de framboise foncée, est légèrement parfumé au cari. Il accompagne bien la volaille, le jambon ou les caris, de même que le poisson.

Canneberges	4 tasses	1 L
Raisins secs	1 tasse	250 mL
Oignon haché	¹/₂ tasse	125 mL
Pomme surette, pelée, épépinée et coupée en dés	1	1
Jus d'orange	1 tasse	250 mL
Vinaigre de cidre	1 tasse	250 mL
Marmelade d'oranges	¹/₂ tasse	125 mL
Sucre granulé	1¹/₂ tasse	375 mL
Gingembre moulu	1¹/₂ c. à thé	7 mL
Sel de table	1 c. à thé	5 mL
Poudre de cari	1 c. à thé	5 mL

Verser tous les ingrédients dans une grande casserole et remuer. Chauffer à feu vif en remuant jusqu'à ce que le sucre soit dissous. Porter à ébullition. Cuire à découvert pendant 10 à 15 minutes jusqu'à ce que la préparation épaississe, en remuant de temps en temps. Remplir des bocaux chauds stérilisés jusqu'à 6 mm (¹/₄ po) du couvercle. Sceller les bocaux. Donne 750 mL (3 demiards).

CHUTNEY AUX TOMATES

Ce chutney à la fois épicé et fruité est tout simplement délicieux. Le servir comme condiment avec un sandwich au fromage ou avec du bœuf.

Tomates mûres, pelées et hachées	4 lb	2 kg
Pommes surettes, pelées et hachées	3 lb	1,5 kg
Oignon haché	2 tasses	500 mL
Poivron vert, épépiné et haché	1	1
Raisins secs	2 tasses	500 mL
Cassonade, tassée	3 tasses	750 mL
Sel de table	1 c. à soupe	15 mL
Gingembre moulu	1 c. à thé	5 mL
Vinaigre de cidre	3 tasses	750 mL
Épices mélangées pour marinades, nouées dans une étamine double	3 c. à soupe	50 mL

Verser les ingrédients dans une marmite. Porter à ébullition à feu moyen en remuant souvent jusqu'à ce que le sucre soit dissous. Laisser bouillir à découvert environ 45 minutes ou jusqu'à ce que les fruits soient tendres. Jeter le sachet d'épices. Remplir des bocaux chauds stérilisés jusqu'à 6 mm (¹/₄ po) du couvercle. Sceller les bocaux. Donne 3 à 3,5 L (6 à 7 chopines).

CHUTNEY AUX PÊCHES

Ce chutney orange foncé a un léger goût de gingembre. Il est bon avec du porc, du canard ou même du fromage à la crème, servi sur des craquelins.

Pêches, pelées et tranchées	8 tasses	2 L
Vinaigre de cidre	2 tasses	500 mL
Sucre granulé	3 tasses	750 mL
Oignon moyen, haché fin	1	1
Raisins secs	1 tasse	250 mL
Gingembre confit, haché	1/4 tasse	50 mL
Gousse d'ail, émincée	1	1
Sel de table	2 c. à thé	10 mL
Gingembre moulu	1/2 c. à thé	2 mL
Poivre de Cayenne (facultatif)	1/4 c. à thé	1 mL

Verser tous les ingrédients dans une marmite. Chauffer à feu moyen en remuant jusqu'à ce que le sucre soit dissous. Porter à ébullition et laisser bouillir pendant 45 à 55 minutes en remuant souvent, jusqu'à ce que la préparation épaississe. Remuer plus souvent en fin de cuisson pour empêcher le chutney d'attacher. Remplir des bocaux chauds stérilisés jusqu'à 6 mm (1/4 po) du couvercle. Sceller les bocaux. Donne 1,75 L (3 1/2 chopines).

CHUTNEY AUX POIRES

Ce condiment aux fruits accompagne à merveille la volaille et le porc. Pour un peu d'exotisme, on peut le servir comme amuse-gueule, sur des craquelins garnis de fromage à la crème.

Poires pelées, épépinées et coupées en dés	8 tasses	2 L
Oignon haché fin	1 tasse	250 mL
Raisins secs, grossièrement hachés	2 tasses	500 mL
Sucre granulé	3 tasses	750 mL
Sel de table	1 c. à thé	5 mL
Graines de céleri	2 c. à thé	10 mL
Poivre de Cayenne	1/4 c. à thé	1 mL
Poudre de cari	1/4 c. à thé	1 mL
Paprika	1/4 c. à thé	1 mL
Vinaigre blanc	3 tasses	750 mL

Combiner tous les ingrédients dans une marmite. Chauffer à feu moyen en remuant jusqu'à ce que le sucre soit dissous. Porter à ébullition. Laisser mijoter environ 1 heure 10 minutes, jusqu'à ce que la préparation épaississe. Remuer plus souvent à mesure que le chutney épaissit. Remplir des bocaux chauds stérilisés jusqu'à 6 mm (1/4 po) du couvercle. Sceller les bocaux. Donne 1,25 L (5 demiards).

Photo à la page 125.

CHUTNEY AUX POIVRONS ROUGES

Ce condiment savoureux relève les viandes et est épatant avec du fromage.

Pommes surettes, pelées, épépinées et coupées en dés	2 lb	1 kg
Gros poivron rouge, épépiné et coupé en dés	1	1
Gros oignon, haché fin	1	1
Raisins secs, grossièrement hachés	³/₄ tasse	175 mL
Sel de table	1¹/₂ c. à thé	7 mL
Moutarde préparée	2 c. à thé	10 mL
Gingembre moulu	¹/₂ c. à thé	2 mL
Poivre de Cayenne	¹/₈ c. à thé	0,5 mL
Sucre granulé	1 tasse	250 mL
Vinaigre blanc	1¹/₂ tasse	375 mL

Combiner tous les ingrédients dans une marmite. Chauffer à feu moyen en remuant jusqu'à ce que le sucre soit dissous. Porter à ébullition. Laisser mijoter à découvert environ 1 heure, jusqu'à épaississement. Remuer plus souvent en fin de cuisson pour empêcher le chutney d'attacher. Remplir des bocaux chauds stérilisés jusqu'à 6 mm (¹/₄ po) du couvercle et les sceller. Donne 1,25 L (5 demiards).

Variante : Mettre 500 g (1 lb) de pommes et autant de tomates vertes.

CHUTNEY AUX ABRICOTS

Ce chutney aux reflets caramel est délicieux avec du fromage, du jambon ou un cari. Il fait aussi une bonne garniture dans un sandwich.

Abricots frais, hachés	2 lb	1 kg
Oignons rouges, coupés en dés	2	2
Raisins secs	2 tasses	500 mL
Cassonade, tassée	3 tasses	750 mL
Vinaigre de cidre	2¹/₂ tasses	625 mL
Poudre chili	1 c. à thé	5 mL
Graines de moutarde	1 c. à thé	5 mL
Sel de table	1 c. à thé	5 mL
Poudre de cari	¹/₄ c. à thé	1 mL
Curcuma	¹/₄ c. à thé	1 mL
Cannelle moulue	¹/₄ c. à thé	1 mL

Mettre tous les ingrédients dans une marmite. Chauffer à feu moyen en remuant jusqu'à ce que le sucre soit dissous. Porter à ébullition en remuant souvent. Laisser mijoter à découvert pendant environ 1 heure, jusqu'à épaississement. Remuer plus souvent à mesure que le chutney épaissit, pour l'empêcher d'attacher. Remplir des bocaux chauds stérilisés jusqu'à 6 mm (¹/₄ po) du couvercle et les sceller. Donne 1,75 L (3¹/₂ chopines).

CHUTNEY AUX MANGUES

Le condiment idéal avec un cari ou de l'agneau. Il est aussi bon avec ou sans Cayenne.

Mangues vertes, pelées et hachées	4 lb	2 kg
Vinaigre blanc	2 tasses	500 mL
Raisins secs (préférablement dorés)	1/2 tasse	125 mL
Raisins de corinthe	1/2 tasse	125 mL
Gousse d'ail, émincée	1	1
Gingembre moulu	1 c. à thé	5 mL
Gros sel (pour marinades)	1 c. à thé	5 mL
Poivre de Cayenne	1/4 c. à thé	1 mL
Moutarde en poudre	1/8 c. à thé	0,5 mL
Sucre granulé	1 1/2 tasse	375 mL

Combiner les 9 premiers ingrédients dans une marmite. Porter à ébullition à feu vif en remuant souvent. Laisser mijoter doucement, en remuant de temps en temps, pendant 20 minutes, jusqu'à ce que les mangues soient tendres.

Incorporer le sucre. Poursuivre la cuisson 10 minutes, en remuant de temps en temps, jusqu'à ce que le sucre soit dissous. Remplir des bocaux chauds stérilisés jusqu'à 6 mm (1/4 po) du couvercle. Sceller les bocaux. Donne 1,25 L (5 demiards).

Photo sur la couverture

SALSA MEXICAINE

Cette sauce est épicée, mais on peut rajuster l'assaisonnement en y mettant plus ou moins de piments du Chili broyés.

Tomates mûres, pelées et hachées	4 1/2 lb	2 kg
Oignons moyens, hachés	3	3
Vinaigre blanc	1/4 tasse	60 mL
Piments rouges du Chili broyés, déshydratés	1 c. à thé	5 mL
Sel de table	1 1/2 c. à thé	7 mL
Poivre	1/4 c. à thé	1 mL
Piments verts hachés, en conserve	2 x 4 oz	2 x 114 mL
Sucre granulé	1 c. à thé	5 mL
Paprika	1 1/2 c. à thé	7 mL

Combiner tous les ingrédients dans une marmite. Porter à ébullition à feu vif en remuant souvent. Laisser frémir jusqu'à ce que la préparation épaississe, environ 1 1/2 heure. Remplir des bocaux chauds stérilisés jusqu'à 6 mm (1/4 po) du couvercle. Sceller les bocaux. On peut aussi congeler la salsa dans des récipients de n'importe quelle taille. Donne 1,5 L (3 chopines).

CHUTNEY À LA RHUBARBE

Ce condiment subtilement épicé est délicieux avec de la viande froide, comme garniture de sandwich ou avec du fromage à la crème, sur des craquelins.

Rhubarbe, tranchée	8 tasses	2 L
Vinaigre blanc	2 tasses	500 mL
Sucre granulé	2 tasses	500 mL
Cassonade, tassée	2 tasses	500 mL
Raisins secs dorés	2 tasses	500 mL
Oignon haché fin	2 tasses	500 mL
Sel de table	$\frac{1}{2}$ c. à thé	2 mL
Gingembre moulu	$\frac{1}{2}$ c. à thé	2 mL
Poivre de Cayenne	$\frac{1}{4}$ c. à thé	1 mL
Graines de moutarde	1 c. à soupe	15 mL
Bâton de cannelle, cassé en morceaux	1	1
Clous de girofle entiers	1 c. à thé	5 mL

Mêler les 9 premiers ingrédients dans une marmite.

Nouer les graines de moutarde, le bâton de cannelle et les clous de girofle ensemble dans une étamine double. Mettre le sachet dans la marmite. Chauffer à feu moyen, en remuant souvent, jusqu'à ce que le sucre soit dissous et que la préparation bouille. Laisser mijoter à découvert pendant environ 40 minutes, jusqu'à ce que la préparation épaississe, en remuant de temps en temps. Jeter le sachet d'épices. Remplir des bocaux chauds stérilisés jusqu'à 6 mm ($\frac{1}{4}$ po) du couvercle. Sceller les bocaux. Donne 1,5 L (3 chopines).

PICANTE SALSA

Une sauce fameuse, dont on peut rajuster l'assaisonnement au goût.

Tomates mûres, ébouillantées, pelées et hachées	4 $^1/_2$ lb	2 kg
Piments verts doux, hachés	3	3
Gros oignon espagnol, haché	1	1
Gros poivron vert, haché	1	1
Poivron rouge moyen, haché	1	1
Piments jalapeno entiers, en conserve, hachés	3 à 6	3 à 6
Pâte de tomates	5 $^1/_2$ oz	156 mL
Vinaigre blanc	$^3/_4$ tasse	175 mL
Cassonade	$^1/_4$ tasse	50 mL
Gros sel (pour marinades)	1 c. à soupe	15 mL
Paprika	2 c. à thé	10 mL
Poudre d'ail (ou 2 gousses, émincées)	$^1/_2$ c. à thé	2 mL

Combiner tous les ingrédients dans une marmite. Porter à ébullition à découvert à feu moyen, en remuant à l'occasion. Laisser frémir 60 minutes jusqu'à ce que la préparation épaississe, en remuant de temps en temps. Goûter en fin de cuisson et rajuster l'assaisonnement au goût, en rajoutant des piments jalapeno. Remplir des bocaux chauds stérilisés jusqu'à 6 mm ($^1/_4$ po) du couvercle. Sceller les bocaux. Servir la salsa sur des nachos garnis de fromage fondu, de crème sure et d'oignons verts, ou sur des quesadillas garnies de crème sure, ou sur des hamburgers. Donne 2,5 L (10 demiards ou 5 chopines).

Photo sur la couverture.

PICANTE SALSA SIMPLE

Pour que la salsa soit moins épicée, il suffit d'omettre les piments rouges déshydratés. Pour lui donner plus de mordant, il suffit d'en rajouter. Cette recette se double aisément.

Tomates en conserve, hachées (voir remarque)	28 oz	796 mL
Sauce tomate, en conserve	7 1/2 oz	213 mL
Gousse d'ail, émincée	1	1
Petit poivron vert, épépiné et haché	1	1
Petit poivron rouge, épépiné et haché	1	1
Origan en feuilles, déshydraté	1/2 c. à thé	2 mL
Gros sel (pour marinades)	1/2 c. à thé	2 mL
Piments rouges du Chili broyés, déshydratés	1/2 c. à thé	2 mL

Combiner tous les ingrédients dans une grande casserole. Porter à ébullition à feu moyen. Laisser frémir pendant environ 20 minutes, en remuant à l'occasion, jusqu'à ce que la sauce épaississe. Laisser refroidir. Remplir des récipients en laissant 2,5 cm (1 po) à l'ouverture. Congeler. Donne 750 mL (3 demiards).

Photo à la page 53.

Remarque : On peut substituer 1 kg (2 1/3 lb) de tomates fraîches, pelées et cuites.

CONCENTRÉ DE LIMONADE

Pour obtenir en un clin d'œil une rafraîchissante boisson, il suffit de diluer quelques glaçons de concentré dans de l'eau.

Sucre granulé	6 tasses	1,35 L
Eau	3 tasses	675 mL
Acide tartrique (vendu en pharmacie)	5 c. à thé	25 mL
Jus d'environ 6 citrons	1 tasse	250 mL
Eau	3 tasses	675 mL

Mettre le sucre, la première quantité d'eau et l'acide tartrique dans une casserole. Chauffer en remuant jusqu'à ce que le sucre soit dissous. Retirer du feu.

Incorporer le jus des citrons et la seconde quantité d'eau. Répartir le sirop dans un bac à glaçons, à raison de 30 mL (2 c. à soupe) par cavité. Congeler. Démouler les cubes et les conserver au congélateur dans un sac de plastique ou un récipient hermétique. Au moment de servir, délayer 1 mesure de sirop dans 3 mesures d'eau, ou 2 cubes dans 175 mL (3/4 tasse) d'eau. Remuer un peu. Donne 84 cubes.

Photo à la page 35.

JUS DE TOMATES

Quand les tomates sont abondantes, il est indiqué de multiplier la recette.

Tomates, mûres, fermes, non pelées, hachées	5 lb	2,27 kg
Sel de table, par 500 mL (1 chopine) de jus	1/2 c. à thé	2 mL

Mettre les morceaux de tomates dans une marmite. Porter à ébullition à feu moyen, en remuant de temps en temps. Laisser mijoter doucement jusqu'à ce que les tomates mollissent. Passer au tamis ou au moulin. Recueillir le jus dans la marmite. Chauffer jusqu'à quasi-ébullition. Remplir des bocaux chauds stérilisés jusqu'à 6 mm (1/4 po) du couvercle. Saler. Sceller les bocaux. Entreposer dans un endroit frais et sombre pour prévenir la décoloration. Donne 1,75 L (3 1/2 chopines).

CONCENTRÉ DE FRAMBOISES

En conservant une bouteille de ce concentré au réfrigérateur, on a toujours une délicieuse boisson à portée de main.

Framboises	4 tasses	1 L
Vinaigre blanc, pour couvrir		
Sucre granulé, autant que de jus		

Remplir un bocal de 1 L (1 pte) de framboises, en le secouant de temps en temps. Couvrir les framboises de vinaigre. Couvrir et laisser reposer sur le comptoir pendant 2 jours. Prélever le jus.

Mesurer la quantité de jus et le verser dans une casserole. Ajouter autant de sucre. Chauffer en remuant jusqu'à ce que le sucre soit dissous. Laisser bouillir vivement pendant 10 minutes. Laisser refroidir. Au moment de servir, délayer 1 mesure de sirop dans 3 mesures d'eau. Entreposer sur une étagère. Donne 500 mL (2 1/4 tasses).

Photo à la page 71.

CONCENTRÉ DE FRAISES : Substituer des fraises coupées en morceaux aux framboises. Donne 675 mL (3 tasses) de concentré.

CONCENTRÉ DE CERISES DE NANKIN : Procéder tel qu'indiqué ci-dessus, sauf qu'après avoir prélevé le jus des cerises, écraser celles-ci avec un verre, puis prélever de nouveau le jus. Donne 500 mL (2 1/4 tasses) de concentré.

Cette garniture est sensationnelle avec de la crème glacée ainsi qu'avec du fromage cottage, un flan ou du pouding à la vanille.

Fraises, équeutées (voir remarque)	1 lb	500 g
Sucre granulé	2 tasses	500 mL

Rhum blanc, pour couvrir les fruits

Assortiment d'autres fruits,
abricots, pêches pelées, etc.
(les cerises se ratatinent)

Les proportions sont le secret de cette recette. Commencer par un des premiers fruits de la saison. Mettre fraises et sucre en quantités égales, soit 250 mL (1 tasse), dans un petit pot ou un grand bocal. Remuer un peu. Couvrir et laisser reposer jusqu'à ce que les fraises rendent du jus.

Couvrir les fraises de 1 à 2 cm ($\frac{1}{2}$ à $\frac{3}{4}$ po) de rhum. Remuer pour dissoudre le sucre. Poser une assiette ou un bol sur les fraises pour les empêcher de remonter. Fermer avec un couvercle qui n'est pas hermétique et entreposer dans un endroit frais pendant 4 semaines.

Ajouter le prochain fruit de la saison, tranché ou en cubes, au choix. Ajouter 250 mL (1 tasse) de sucre pour autant de fruits, puis couvrir le tout de rhum. Laisser reposer 1 semaine après le dernier ajout de fruits avant de déguster.

Remarque : On peut mettre d'emblée plusieurs fruits, à condition d'ajouter toujours autant de sucre que de fruits. Couvrir de rhum. Ou encore, on peut mettre un seul fruit. Se conserve indéfiniment, à condition que les fruits demeurent immergés dans le rhum. Quantité obtenue au choix.

FRUITS AU SUCRE

Il s'agit là de la méthode la plus simple de conserver des fruits.

Fruit, au choix		
Sucre granulé, par litre (pte)	$\frac{3}{4}$ tasse	175 mL
(voir remarque)		
Eau bouillante		

Entasser les fruits à la moitié d'un bocal. Ajouter le sucre. Entasser d'autres fruits par-dessus en arrêtant à 2,5 cm (1 po) de l'ouverture. Remplir d'eau bouillante jusqu'à 12 mm ($\frac{1}{2}$ po) du couvercle. Bien sceller le bocal, puis le retourner plusieurs fois pour que le sucre commence à se dissoudre. Conditionner dans un bain d'eau chaude pendant 20 minutes. Quantité obtenue au choix.

Remarque : Mettre 90 mL (6 c. à soupe) de sucre granulé par 500 mL (chopine).

Variante : Pour que la préparation soit moins sucrée, ne mettre que 150 mL ($\frac{2}{3}$ tasse) de sucre par litre (pte) et 75 mL ($\frac{1}{3}$ tasse) par 500 mL (chopine).

PÊCHES AU SIROP

Voici comment préparer certains fruits communs qui font bien des amateurs.

Pêches, par litre (pte)	1 1/4 lb	570 g
PROPORTION DE SIROP		
Sucre granulé	1 tasse	250 mL
Eau	2 tasses	500 mL

Ébouillanter les pêches pendant 30 secondes à 1 minute. Les rincer à l'eau froide et les peler. Les couper en deux et jeter les noyaux. Entasser les pêches, en moitiés ou tranchées, dans des bocaux chauds stérilisés jusqu'à 2,5 cm (1 po) du couvercle. Éviter d'abîmer les fruits en les entassant.

Proportion de sirop : Remplir d'eau un bocal de pêches, puis le vider et mesurer la quantité d'eau prélevée. Pour savoir combien faire de sirop, multiplier cette quantité par le nombre de bocaux. Mettre les quantités nécessaires de sucre et d'eau dans une casserole. Porter à ébullition à feu vif, en remuant à l'occasion. Donne environ 625 mL (2 1/2 tasses) de sirop. Verser le sirop sur les pêches jusqu'à 12 mm (1/2 po) du couvercle. Sceller les bocaux. Conditionner dans un bain d'eau chaude pendant 25 minutes pour des bocaux de 1 L (1 pte) et 20 minutes pour ceux de 500 mL (1 chopine). Remplir autant de bocaux que peut en contenir la bassine à confiture.

ABRICOTS OU PRUNES À PRUNEAUX : Couper les fruits en moitiés et les dénoyauter sans les peler. Entasser dans les bocaux. Préparer comme les pêches. Prévoir environ 570 g (1 1/4 lb) de fruits par litre (pte).

CERISES : Ôter les tiges. Entasser dans les bocaux. Préparer comme les pêches. Prévoir environ 454 g (1 lb) de fruits par litre (pte).

POMMETTES : Laisser les queues, mais ôter les styles. Prévoir environ 340 g (3/4 lb) de petites pommettes par litre (pte). Piquer les fruits avant de les entasser. Préparer comme les pêches.

BLEUETS OU AMÉLANCHES : Prévoir environ 454 g (1 lb) de bleuets par litre (pte). Préparer comme les pêches, mais en conditionnant 15 minutes pour 1 L (1 pte) et 10 minutes pour 500 mL (1 chopine).

POIRES : Équeuter les poires, les peler, les couper en quartiers et les épépiner. Prévoir environ 680 g (1 1/2 lb) de poires par litre (pte). Préparer comme les pêches.

FRAISES, FRAMBOISES OU MÛRES DE LOGAN : Entasser les fruits dans des bocaux, plutôt serrés. Prévoir environ 454 g (1 lb) de fruits par litre (pte). Mettre 250 mL (1 tasse) de sucre pour autant d'eau. Préparer comme les pêches, mais en conditionnant 20 minutes pour 1 L (1 pte) et 15 minutes pour 500 mL (1 chopine).

FRUITS AU CARI

Un condiment classique, à servir chaud ou froid avec le plat de résistance.

Pêches, pelées et tranchées	3	3
Poires, pelées, épépinées et tranchées	3	3
Abricots, dénoyautés et tranchés	9	9
Ananas en petits morceaux, en conserve	19 oz	540 mL
Raisins secs	1 tasse	250 mL
Cerises au marasquin, égouttées, en moitiés ou entières	1 tasse	250 mL
Beurre ou margarine	1/2 tasse	125 mL
Farine tout usage	4 c. à soupe	60 mL
Poudre de cari	1 c. à soupe	15 mL
Sucre granulé	1 1/2 tasse	375 mL
Eau	2 tasses	500 mL

Eau bouillante, au besoin

Mêler les 6 premiers ingrédients dans un grand bol. Remuer pour les distribuer également. Entasser les fruits dans 5 bocaux chauds stérilisés de 500 mL (1 chopine) jusqu'à 2,5 cm (1 po) du couvercle.

Faire fondre le beurre dans une casserole. Y incorporer la farine et le cari, puis le sucre. Ajouter ensuite la première quantité d'eau et porter à ébullition à feu moyen en remuant jusqu'à épaississement. Répartir le mélange dans les bocaux, en écartant les fruits avec un couteau pour que le sirop tombe au fond en les nappant au passage.

Au besoin, ajouter de l'eau bouillante au contenu des bocaux pour les remplir jusqu'à 6 mm (1/4 po) du couvercle. Sceller les bocaux et les conditionner dans un bain d'eau chaude pendant 20 minutes. Donne 2,5 L (5 chopines).

Photo à la page 125.

CONSERVES SUCRÉES

MOUSSELINE À GELÉE : Tapisser un grand bol d'une pièce de coton non blanchi ou d'une étamine double de bonne dimension. Verser les fruits et le jus dedans. Réunir les coins, les nouer, soulever le sac ainsi formé et le suspendre au-dessus du bol en l'attachant à une porte de placard, ou le poser dans le moulin, au-dessus du bol.

FERMETURE HERMÉTIQUE DES BOCAUX : Essuyer le bord des bocaux. Si les bocaux ne ferment pas hermétiquement, prévoir 15 mL (1 c. à soupe) de paraffine chauffée par bocal. Pour verser la paraffine, laver et sécher une boîte de conserve de légumes vidée de son contenu. Écraser l'ouverture pour former un bec verseur. Mettre la paraffine dans cet entonnoir de fortune et la chauffer à feu doux, en ayant soin de ne pas la surchauffer. En couler une fine couche sur la gelée chaude. Pour faciliter l'enlèvement du bouchon de paraffine, déposer un court morceau de ficelle dessus en laissant dépasser le bout. Ajouter une seconde couche fine de paraffine lorsque la première est presque prise. Fermer les bocaux avec un couvercle ou une pellicule plastique.

VÉRIFICATION DES GELÉES : Pour vérifier si une gelée est prise, en déposer environ 5 mL (1 c. à thé) sur une soucoupe froide. Réfrigérer. Une peau devrait se former sur la gelée qui ne doit pas couler, ni se refermer quand on y trace un sillon avec une cuillère. Retirer la marmite du feu pendant la vérification pour éviter de cuire la gelée trop longtemps. On peut aussi vérifier la cuisson avec un thermomètre à confiserie. À point, la température du sirop devrait dépasser de 4 °C (8 °F) celle de l'eau bouillante. Au niveau marin, l'eau bout à 100 °C (212 °F). Il faut donc ajouter 4 °C (8 °F), donc 104 °C (220 °F). La cuisson se fait à découvert.

VÉRIFICATION DES CONFITURES, DES CONSERVES ET DES MARMELADES : La méthode est à peu près la même. Si les fruits ne contiennent pas beaucoup de pectine, l'échantillon refroidi devrait être assez épais pour bien s'étaler. Les conserves sont un peu plus liquides.

1. Sauce barbecue page 136
2. Concentré de limonade page 29
3. Cornichons sucrés à l'aneth page 93
4. Relish doré page 119
5. Purée de pommes page 12
6. Purée de carottes page 11
7. Purée de petits pois page 11
8. Purée de poulet page 12
9. Sauce chili d'hiver page 133
10. Relish sucré page 130
11. Ketchup page 139
12. Galettes de bœuf haché page 111
13. Moutarde dorée page 145
14. Tablettes aux fraises page 55

GELÉE DE BETTERAVES CITRONNÉE

Cette gelée à un goût si subtil que l'on pense manger un fruit exotique.

Grosses betteraves, pelées et hachées	6	6
Eau	5 tasses	1,13 L
Eau de cuisson des betteraves réservée, additionnée d'eau (au besoin), pour faire	3 tasses	675 mL
Sachet de cristaux pour boisson au citron, sans sucre (Kool Aid par exemple)	1 × ¼ oz	1 × 8 g
Cristaux de pectine	1 × 2 oz	1 × 57 g
Sucre granulé	4 tasses	900 mL
Sel de table, une pincée		

Cuire les betteraves dans l'eau jusqu'à ce qu'elles soient tendres. Les égoutter et recueillir l'eau de cuisson.

Combiner l'eau de cuisson réservée, la boisson en poudre et les cristaux de pectine dans une marmite. Porter à ébullition à feu vif en remuant. Laisser bouillir 6 minutes sans remuer.

Incorporer le sucre et le sel. Porter à nouvelle ébullition. Laisser bouillir à feu très vif pendant 1 minute. Écumer. Remplir des bocaux chauds stérilisés jusqu'à 6 mm (¼ po) du couvercle. Sceller les bocaux. Donne 1 L (4 demiards).

GELÉE DE FRAMBOISES

Cette belle gelée rouge rubis translucide est exquise sur des tartines grillées ou comme garniture sur un flan.

Framboises (environ 5 casseaux de 500 mL, 1 chopine)	10 tasses	2,25 L
Cristaux de pectine	1 × 2 oz	1 × 57 g
Sucre granulé	5 tasses	1,13 L

Mettre les framboises dans une marmite. Les écraser avec un pilon. Les chauffer jusqu'à ce qu'elles soient tièdes pour qu'elles rendent plus de jus. Les verser dans une mousseline à gelée pour qu'elles dégouttent. Prélever 900 mL (4 tasses) de jus et le verser dans une marmite.

Incorporer les cristaux de pectine. Porter à ébullition à feu vif en remuant.

Ajouter le sucre. Porter à nouvelle ébullition en remuant. Laisser bouillir vivement pendant 4 minutes. Retirer du feu. Écumer. Remplir des bocaux chauds stérilisés jusqu'à 6 mm (¼ po) du couvercle. Sceller les bocaux. Donne 1,5 L (6 demiards).

CONFITURE DE FRAISES SIMULÉE

Cette confiture ne contient pas la moindre fraise. La consistance est celle des autres fruits et l'arôme, celui de la gélatine. Elle est si simple qu'il faut l'essayer.

Rhubarbe, en morceaux de 2,5 cm (1 po) de long	8 tasses	1,8 L
Sucre granulé	5 tasses	1,1 L
Ananas broyé dans son jus	1 tasse	250 mL
Gélatine parfumée à la fraise (en poudre)	2 × 3 oz	2 × 85 g

Mêler la rhubarbe et le sucre dans un bol. Couvrir et laisser reposer sur le comptoir jusqu'au lendemain. Mettre le mélange de rhubarbe dans une casserole. Porter à ébullition. Laisser mijoter 15 minutes à découvert.

Ajouter l'ananas non égoutté et la gélatine. Remuer et laisser bouillir 1 minute. Écumer. Remplir des bocaux chauds stérilisés jusqu'à 6 mm (¼ po) du couvercle. Sceller les bocaux. Donne environ 2 L (8 demiards).

Photo à la page 89.

CONFITURE DE PÊCHES SIMULÉE : Omettre l'ananas et le jus. Substituer de la gélatine parfumée à la pêche à celle à la fraise. Donne une confiture au goût exquis.

CONFITURE DE FRAMBOISES SIMULÉE : Substituer de la gélatine parfumée à la framboise dans la préparation et y mettre 1,35 L (6 tasses) de sucre granulé.

Photo sur la couverture.

CONFITURE DE FRAISES SURGELÉE

Cette confiture a autant de goût que de couleur, et elle peut être servie comme garniture avec de la crème glacée.

Fraises, tranchées, environ 3 casseaux de 500 mL (1 chopine)	4 tasses	1 L
Sucre granulé	2 tasses	500 mL
Sucre granulé	2 tasses	500 mL
Jus de citron, frais ou en bouteille	2 c. à soupe	30 mL

Mettre les fraises dans une marmite. Les couvrir de la première quantité de sucre. Porter à grande ébullition à feu très vif en remuant. Laisser bouillir vivement pendant 3 minutes, sans cesser de remuer.

Ajouter le reste du sucre. Porter à nouvelle ébullition sans cesser de remuer. Laisser bouillir vivement pendant 3 minutes, en remuant sans arrêt. Retirer du feu.

Ajouter le jus de citron. Remuer et écumer. Laisser refroidir. Remplir des bocaux ou des récipients de plastique en laissant au moins 2,5 cm (1 po) à l'ouverture pour l'expansion. Laisser reposer sur le comptoir pendant 24 heures pour que la confiture prenne. Congeler. Donne 1 L (4 demiards).

GELÉE DE CASSIS

Cette gelée translucide, foncée et délicieuse est bonne sur du pain grillé, avec du pouding à la vanille ou comme sauce avec des boulettes de viande.

Cassis	5 tasses	1,13 L
Eau	3 tasses	675 mL
Jus de la première cuisson, additionné d'eau au besoin	4 $\frac{1}{4}$ tasses	950 mL
Cristaux de pectine	1 × 2 oz	1 × 56 g
Sucre granulé	4 $\frac{1}{2}$ tasses	1 L
Jus de citron, frais ou en bouteille	3 c. à soupe	50 mL

Écraser les cassis dans une marmite, avec un bocal. Ajouter l'eau. Porter à ébullition. Laisser mijoter 10 minutes. Verser dans une mousseline à gelée. Laisser dégoutter jusqu'au lendemain.

Mesurer le jus et y ajouter de l'eau au besoin. Le combiner avec la pectine dans une marmite. Porter à grande ébullition en remuant sans arrêt.

Ajouter le sucre et le jus de citron. Remuer pour dissoudre le sucre. Porter de nouveau à grande ébullition. Laisser bouillir vivement pendant 1 minute, sans remuer. Écumer. Remplir des bocaux chauds stérilisés jusqu'à 6 mm ($\frac{1}{4}$ po) du couvercle et les sceller. Donne 1,5 L (6 demiards).

GELÉE DE VIN

On parfume cette gelée avec un vin préféré. Elle fait un cadeau apprécié.

Vin rouge, au choix, pas trop sucré	4 tasses	900 mL
Sucre granulé	6 tasses	1,35 L
Pectine liquide	6 oz	170 mL

Combiner le vin et le sucre dans une marmite. Porter à grande ébullition à feu très vif en remuant de temps en temps.

Ajouter la pectine liquide. Porter de nouveau à ébullition vive et laisser bouillir pendant 1 minute. Écumer. Remplir des bocaux chauds stérilisés jusqu'à 6 mm ($^1/_4$ po) du couvercle et les sceller. Donne 2 L (8 demiards).

Photo à la page 89.

GELÉE DE VIN DORÉE : Substituer du sherry pâle au vin rouge.

GELÉE DE PORTO : Substituer du porto au vin rouge. Donne une superbe gelée rubis foncé.

GELÉE DE VIN MAUVE : Substituer du vin de raisin Concord au vin rouge.

GELÉE DE BETTERAVES AUX FRAMBOISES

Avec cette gelée, on évite la corvée de la cueillette des framboises. Le goût des fruits est très présent, et la couleur, très jolie.

Grosses betteraves, pelées et hachées (environ 6)	4 lb	1,8 kg
Eau	5 tasses	1,13 L
Eau de cuisson des betteraves réservée, additionnée d'eau (au besoin), pour faire	3 tasses	675 mL
Jus de citron, frais ou en bouteille	3 c. à soupe	50 mL
Cristaux de pectine	1 × 2 oz	1 × 57 g
Sucre granulé	4 tasses	900 mL
Gélatine parfumée à la framboise (en poudre)	1 × 3 oz	1 × 85 g

Cuire les betteraves dans l'eau jusqu'à ce qu'elles soient tendres. Les égoutter et recueillir l'eau de cuisson.

Combiner l'eau de cuisson réservée avec le jus de citron et les cristaux de pectine dans une marmite. Porter à ébullition à feu vif en remuant.

Incorporer le sucre et la gélatine. Laisser bouillir 6 minutes, en remuant à l'occasion. Écumer. Remplir des bocaux chauds stérilisés jusqu'à 6 mm ($^1/_4$ po) du couvercle. Sceller les bocaux. Donne 1,25 L (5 demiards).

CONSERVE DE PÊCHES

Cette conserve doit sa jolie couleur aux petits morceaux de cerises qu'elle contient. Elle est un peu plus liquide que la marmelade et s'appelle parfois confiture.

Pêches, pelées et hachées, réserver les noyaux	12	12
Orange, pelée fin, filaments blancs retirés, zeste réservé	1	1
Citron non pelé, coupé et épépiné	1	1
Sel de table	¼ c. à thé	1 mL
Sucre granulé		
Bouteille de cerises au marasquin, égouttées, en moitiés ou en quartiers	6 oz	170 g

Ébouillanter les pêches pendant 30 secondes à 1 minute, puis les peler. Mettre les fruits et les noyaux dans une marmite. Réduire le zeste de l'orange ainsi que le zeste et la pulpe du citron en bouillie et ajouter celle-ci aux pêches.

Incorporer le sel. Mesurer la quantité de fruits et y ajouter autant de sucre, soit 250 mL (1 tasse) de sucre pour autant de fruits. Laisser bouillir environ 1 heure. Remuer de temps en temps. Jeter les noyaux. La préparation devrait être coulante, mais pas liquide.

Ajouter les cerises juste avant de répartir la préparation dans les bocaux. Remplir des bocaux chauds stérilisés jusqu'à 6 mm (¼ po) du couvercle. Sceller les bocaux. Donne 2 L (8 demiards).

Photo sur la couverture.

CONFITURE DE FRAISES

Tout le monde aime la confiture de fraises.

Fraises, hachées	4 lb	1,82 kg
Sucre granulé	10 tasses	2,25 L
Jus de pommes concentré surgelé	¼ tasse	60 mL
Jus de citron, frais ou en bouteille	2 c. à soupe	30 mL

Mêler les fraises, le sucre, le jus de pomme concentré et le jus de citron dans une marmite. Chauffer à feu moyen en remuant jusqu'à ce que le sucre soit dissous et que la préparation bouille vivement. Laisser bouillir ainsi pendant 20 minutes. Vérifier la prise de la confiture sur une soucoupe froide. Elle est prête si elle est ferme et qu'une mince peau s'y forme. Écumer. Remplir des bocaux chauds stérilisés jusqu'à 6 mm (¼ po) du couvercle. Sceller les bocaux. Donne 2,5 L (5 chopines).

GELÉE DE MENTHE

Cette gelée est assez ferme. Elle rehausse bien l'agneau ou la crème glacée.

Pommes surettes, Granny Smith par exemple, découpées	4 1/2 lb	2 kg
Eau	2 tasses	500 mL
Menthe fraîche, hachée, légèrement tassée (1 bouquet)	1 1/2 tasse	375 mL
Vinaigre blanc	2 tasses	500 mL
Sucre granulé, 250 mL (1 tasse) pour autant de jus (voir remarque)		
Gouttes de colorant alimentaire vert (facultatives)	3 à 5	3 à 5

Il n'est pas nécessaire de peler ou d'épépiner les pommes. Mettre les pommes, l'eau et la menthe dans une casserole. Porter à ébullition à feu moyen. Cuire jusqu'à ce que les fruits mollissent.

Ajouter le vinaigre. Porter à nouvelle ébullition. Laisser bouillir sous couvert pendant 5 minutes. Verser le tout dans une mousseline à gelée et laisser dégoutter. Recueillir le jus dans une marmite.

Ajouter autant de sucre qu'il y a de jus. Chauffer en remuant jusqu'à ce que le sucre soit dissous et que la préparation bouille vivement. Ajouter le colorant alimentaire s'il y a lieu. Laisser bouillir vivement pendant 25 à 30 minutes, jusqu'au point de gélification. Remplir des bocaux chauds stérilisés jusqu'à 6 mm (1/4 po) du couvercle. Sceller les bocaux. Donne 1 L (4 demiards).

Remarque : Goûter le jus avant de le sucrer. Si le parfum de menthe n'est pas assez prononcé, ajouter 2 ou 3 tiges de menthe à la préparation avec le sucre. Les jeter avant de mettre la gelée en bocal.

Photo à la page 125.

CONFITURE DE TOMATES EXTRA

On étale cette confiture sur de la viande plutôt que du pain grillé, mais on pourrait aussi bien la déguster directement.

Tomates mûres	5 lb	2,5 kg
Zeste de citron râpé	4 c. à thé	20 mL
Jus de citron, frais ou en bouteille	1/2 tasse	125 mL
Sucre granulé	4 tasses	1 L
Vinaigre blanc	2 tasses	500 mL
Cannelle moulue	2 c. à thé	10 mL
Gros sel (pour marinades)	1 c. à thé	5 mL

(suite...)

Ébouillanter les tomates pendant 1 minute pour pouvoir les peler, puis les hacher et mettre les morceaux dans une casserole. Porter graduellement à ébullition. Laisser bouillir à découvert en remuant souvent. Poursuivre l'ébullition à découvert pendant 20 à 30 minutes, pour réduire le liquide.

Ajouter le zeste et le jus de citron, le sucre, le vinaigre, la cannelle et le sel. Porter à nouvelle ébullition en remuant. Laisser bouillir 40 minutes, en remuant souvent, jusqu'à ce que la confiture épaississe. Vérifier la prise de la confiture sur une soucoupe froide. Remplir des bocaux chauds stérilisés jusqu'à 6 mm (¼ po) du couvercle. Sceller les bocaux. Donne 1 L (4 demiards).

CONFITURE DE FRAMBOISES

L'inimitable confiture de framboises, que l'on reconnaît par son beau rouge très foncé.

Framboises, tassées	**4 tasses**	**1 L**
Sucre granulé	**3 tasses**	**750 mL**
Jus de citron, frais ou en bouteille	**1 c. à soupe**	**15 mL**

Mettre les framboises dans une marmite. Les couvrir de sucre et remuer. Laisser reposer sur le comptoir pendant 1 à 2 heures pour qu'elles rendent leur jus.

Ajouter le jus de citron. Chauffer à feu doux, en remuant de temps en temps, jusqu'à ce que la préparation frémisse. Laisser mijoter doucement en remuant jusqu'à ce que le sucre soit dissous. Augmenter à feu très vif et porter à pleine ébullition. Laisser bouillir vivement pendant 20 minutes, en remuant de temps en temps à mesure que la préparation épaissit. Vérifier la prise de la confiture sur une soucoupe froide. Remplir des bocaux chauds stérilisés jusqu'à 6 mm (¼ po) du couvercle. Sceller les bocaux. Donne 500 mL (2 demiards) et 1 petit bocal.

CONFITURE DE MÛRES DE LOGAN : Substituer des mûres de Logan aux framboises.

CONFITURE DE MÛRES SAUVAGES : Substituer des mûres sauvages aux framboises.

CONFITURE D'ABRICOTS

Cette confiture est aussi jolie que bonne!

Abricots, dénoyautés, en moitiés	2 lb	900 g
Jus de citron, frais ou en bouteille	¹/₄ tasse	60 mL
Cristaux de pectine	1 × 2 oz	1 × 56 g
Sucre granulé	6 tasses	1,35 L
Essence d'amande (facultative)	¹/₄ c. à thé	1 mL

Broyer les abricots au robot, avec la grosse lame. Les mettre dans une marmite.

Y ajouter le jus de citron et la pectine. Chauffer en remuant à feu vif jusqu'à ce que la préparation bouille vivement.

Incorporer le sucre. Remuer pour le dissoudre. Porter de nouveau à ébullition vive. Laisser bouillir vivement pendant 4 minutes. Ajouter l'essence d'amande. Écumer. Remplir des bocaux chauds stérilisés jusqu'à 6 mm (¹/₄ po) du couvercle. Sceller les bocaux. Donne 1,5 L (6 demiards).

GELÉE DE MERISES

Il n'y a pas de friandise plus délicieuse que cette gelée étalée sur du pain grillé. Elle remplace très bien une pâtisserie.

Merises	3 lb	1,36 L
Eau	3 tasses	675 mL
Jus de la première cuisson	3 tasses	675 mL
Sucre granulé	6¹/₂ tasses	1,46 L
Pectine liquide	6 oz	170 g

Combiner les merises et l'eau dans une marmite. Porter à ébullition à feu vif. Laisser frémir 15 minutes en remuant à l'occasion. Mettre les fruits et le jus dans une mousseline à gelée placée dans un bol. Suspendre celle-ci au-dessus du bol ou la poser dans le moulin ou dans une grande passoire pour que le jus s'écoule dans le bol.

Combiner le jus recueilli et le sucre dans une marmite. Porter à ébullition à feu assez vif en remuant.

Incorporer la pectine et poursuivre la cuisson en remuant jusqu'à ébullition vive. Laisser bouillir ainsi pendant 1 minute. Retirer du feu. Écumer, puis remplir rapidement les bocaux chauds stérilisés jusqu'à 6 mm (¹/₄ po) du couvercle. Sceller les bocaux. Donne 1,5 L (6 demiards).

Photo à la page 143.

GELÉE DE CERISES DE VIRGINIE : Substituer des cerises de Virginie aux merises.

FAUSSE CONFITURE D'ABRICOTS

Cette confiture est bonne et belle.

Carottes, cuites, en purée	1 lb	454 g
Sucre granulé	1 lb	454 g
Zeste de citron râpé	1	1
Jus de citron, frais ou en bouteille	1/4 tasse	60 mL
Essence d'amande	1/8 c. à thé	0,5 mL

Combiner les 3 premiers ingrédients dans une marmite. Porter à ébullition à feu moyen. Laisser bouillir à découvert pendant 5 minutes, en remuant sans arrêt. Retirer du feu. Laisser refroidir à la température de la pièce.

Ajouter le jus de citron et l'essence d'amande. Remuer. Laisser refroidir 15 minutes. Répartir la confiture dans des récipients. Couvrir. Se conserve au réfrigérateur pendant 8 à 10 mois. On peut aussi verser la confiture dans des bocaux chauds stérilisés jusqu'à 6 mm (1/4 po) du couvercle et les sceller. Donne 2 demiards et 1 petit bocal (625 mL).

CONGÉ-FITURE DE FRAISES

De toutes les confitures, celle-ci conserve le mieux sa couleur et son goût.

Fraises	5 tasses	1 L
Sucre granulé	4 tasses	900 mL
Jus de citron, frais ou en bouteille	2 c. à soupe	30 mL
Pectine de fruit liquide, 1/2 bouteille	3 oz	85 mL

Écraser les fraises. Il en faut 400 mL (1³/₄ tasse). Les combiner avec le sucre dans un bol. Laisser reposer 10 minutes.

Ajouter le jus de citron et la pectine liquide aux fraises. Remuer sans arrêt pendant 3 minutes. Répartir le tout dans des récipients et les couvrir. Laisser 2,5 cm (1 po) à l'ouverture pour l'expansion pendant la congélation. Laisser prendre 24 heures à la température de la pièce avant de congeler. Congeler. Conserver au réfrigérateur après l'ouverture. Donne 1,25 L (5 demiards).

CONGÉ-FITURE DE FRAMBOISES : Substituer 450 mL (2 tasses) de framboises écrasées aux fraises.

GELÉE DE POMMES

Une gelée sucrée et brillante qui est facile à préparer, sans pectine.

Pommes surettes, Granny Smith par exemple	4¹/₂ lb	2 kg
Eau	7 tasses	1,58 L
Jus de la première cuisson	5 tasses	1,13 L
Jus de citron, frais ou en bouteille	3 c. à soupe	50 mL
Sucre granulé	3³/₄ tasses	850 mL

Ôter les styles et les queues des pommes. Les hacher grossièrement, sans les peler ni les vider. Mettre le tout dans une marmite. Ajouter l'eau. Porter à ébullition à feu vif. Cuire environ 50 minutes, jusqu'à ce que les pommes mollissent. Laisser dégoutter plusieurs heures ou jusqu'au lendemain dans une mousseline à gelée.

Combiner le jus recueilli et le jus de citron dans une marmite. Y ajouter le sucre et porter à pleine ébullition, à feu vif, en remuant. Laisser bouillir vivement pendant 40 minutes, en remuant une ou deux fois en cours de cuisson. Vérifier la prise de la gelée en fin de cuisson. Écumer au besoin. Remplir des bocaux chauds stérilisés jusqu'à 6 mm (¹/₄ po) du couvercle et les sceller. Donne 750 mL (3 demiards).

Photo à la page 89.

GELÉE DE POMMETTES : Substituer des pommettes aux pommes.

GELÉE DE GADELLES

Cette gelée est aussi bonne étalée sur du pain que servie avec de la viande ou de la volaille.

Gadelles	8 tasses	1,8 L
Eau	2 tasses	450 mL
Jus de la première cuisson	4 tasses	900 mL
Sucre granulé	3¹/₂ tasses	800 mL

Mettre les gadelles et l'eau dans une marmite. Porter à ébullition à feu moyen. Laisser frémir, en remuant souvent pendant 10 à 15 minutes, jusqu'à ce que les gadelles mollissent. Laisser dégoutter dans une mousseline à gelée jusqu'au lendemain.

Mettre le jus recueilli dans une marmite. Porter à ébullition à feu vif. Laisser bouillir vivement pendant 5 minutes.

Incorporer le sucre et remuer jusqu'à ce qu'il soit dissous. Laisser bouillir vivement pendant 15 minutes, en remuant une ou deux fois en cours de cuisson. Vérifier la prise de la gelée en fin de cuisson. Remplir des bocaux chauds stérilisés jusqu'à 6 mm (¹/₄ po) du couvercle et les sceller. Donne 750 mL (3 demiards).

GELÉE DE PIMENTS FORTS

Cette recette donne une gelée verdâtre. Pour qu'elle soit plutôt rouge ou orange, substituer des poivrons rouges aux poivrons verts. Elle est exquise avec du fromage à la crème, sur des craquelins.

Poivrons verts ou rouges, épépinés et hachés	1 1/2 tasse	350 mL
Piments jalapeno hachés, en conserve	1/4 tasse	60 mL
Vinaigre blanc	1 1/2 tasse	350 mL
Sucre granulé	6 1/2 tasses	1,5 L
Pectine liquide	6 oz	170 mL
Colorant alimentaire vert (facultatif)		

Combiner les poivrons, les piments et le vinaigre dans le mélangeur jusqu'à obtenir une purée homogène. Mettre celle-ci dans une marmite.

Y ajouter le sucre. Chauffer à feu vif en remuant jusqu'à ce que le sucre soit dissous. Porter à ébullition. Laisser bouillir 3 minutes.

Incorporer la pectine. Porter de nouveau à pleine ébullition, à feu très vif. Laisser bouillir vivement pendant 1 minute. Retirer du feu. Écumer.

Pour accentuer la couleur, ajouter un peu de colorant alimentaire vert. Remplir des bocaux chauds stérilisés jusqu'à 6 mm (1/4 po) du couvercle. Sceller les bocaux. Donne 1,5 L (6 demiards).

Photo à la page 53.

CONFITURE DE FRAMBOISES FOUETTÉE

Cette confiture translucide a un bon goût frais.

Framboises	4 tasses	1 L
Sucre granulé	4 tasses	1 L

Mettre les framboises dans une marmite. Les écraser avec un pilon. Porter à ébullition à feu moyen, en remuant. Laisser bouillir vivement pendant 2 minutes.

Ajouter le sucre. Porter de nouveau à ébullition, en remuant sans arrêt. Laisser bouillir vivement pendant 2 minutes. Retirer du feu. Battre au batteur électrique pendant 4 minutes. Remplir des bocaux chauds stérilisés jusqu'à 6 mm (1/4 po) du couvercle. Sceller les bocaux. Donne 750 mL (3 demiards) et 1 petit bocal.

Photo à la page 143.

CONFITURE DE BLEUETS ET DE RHUBARBE

La rhubarbe donne un goût particulier à cette confiture. On peut couper la recette de moitié.

Rhubarbe broyée, environ 900 g (2 lb) (voir remarque)	4 tasses	900 mL
Bleuets ou amélanches broyés, environ 900 g (2 lb)	4 tasses	900 mL
Sucre granulé	14 tasses	3,15 L
Pectine liquide	6 oz	170 mL

Mêler la rhubarbe et les bleuets broyés dans une marmite. Les proportions peuvent varier à condition d'avoir en tout 1,8 L (8 tasses) de fruits. Incorporer le sucre. Chauffer en remuant à feu vif jusqu'à ce que le sucre soit dissous. Porter à ébullition. Laisser bouillir 5 minutes, en remuant de temps en temps.

Ajouter la pectine. Porter de nouveau à pleine ébullition, à feu vif. Laisser bouillir vivement pendant 1 minute. Retirer du feu. Écumer. Remplir des bocaux chauds stérilisés jusqu'à 6 mm (¼ po) du couvercle. Sceller les bocaux. Donne 3,75 L (7 ½ chopines).

Remarque : Couper la rhubarbe en petits morceaux avant de la broyer.

FAUSSE GELÉE DE RAISINS

Cette fausse gelée au vrai goût de raisins trompe tout le monde.

Betteraves, pelées et coupées	4 lb	1,8 kg
Eau	6 tasses	1,35 L
Eau de cuisson réservée, additionnée d'eau au besoin	4¼ tasses	950 mL
Sachet de cristaux pour boisson au raisin, sans sucre (Kool Aid par exemple)	1 × ¼ oz	1 × 6 g
Cristaux de pectine	1 × 2 oz	1 × 57 g
Sel, une pincée		
Sucre granulé	4 tasses	900 mL

Cuire les betteraves dans l'eau jusqu'à ce qu'elles soient tendres. Les égoutter et réserver l'eau de cuisson.

Verser l'eau de cuisson recueillie, les cristaux pour boisson, la pectine et le sel dans une marmite. Porter à ébullition à feu vif, en remuant jusqu'à ce que les cristaux soient dissous. Laisser bouillir 7 minutes, en remuant à l'occasion.

Ajouter le sucre et remuer pour le dissoudre. Porter à ébullition vive et laisser bouillir 1 minute. Écumer. Remplir des bocaux chauds stérilisés jusqu'à 6 mm (¼ po) du couvercle. Sceller les bocaux. Donne 1,25 L (5 demiards).

CONFITURE DE GROSEILLES

Cette confiture est plaisamment surette.

Sucre granulé	4 tasses	1 L
Eau	1 tasse	250 mL
Groseilles à maquereau, nettoyées et équeutées, environ 1 L (4 tasses)	2 lb	1 kg

Combiner le sucre et l'eau dans une marmite. Chauffer en remuant à feu vif jusqu'à ce que le sucre soit dissous. Porter à ébullition. Laisser bouillir à découvert pendant 15 minutes, en remuant à l'occasion.

Ajouter les groseilles. Porter de nouveau à ébullition. Laisser bouillir environ 30 minutes, jusqu'à ce que la gélification se fasse sur une soucoupe froide. Écumer au besoin. Remplir des bocaux chauds stérilisés jusqu'à 6 mm ($^1/_4$ po) du couvercle. Sceller les bocaux. Donne 1 L (4 demiards).

CONFITURE DE COURGETTES ET DE PÊCHES

Cette confiture très économique a un goût exquis.

Courgettes, pelées et râpées (5 à 6 moyennes)	6 tasses	1,35 L
Sucre granulé	6 tasses	1,35 L
Ananas broyé dans son jus	$^3/_4$ tasse	175 mL
Jus de citron, frais ou en bouteille	$^1/_2$ tasse	125 mL
Gélatine parfumée à la pêche (en poudre)	2 × 3 oz	2 × 85 g

Mêler les courgettes et le sucre dans une marmite. Chauffer à découvert à feu moyen, en remuant de temps en temps, jusqu'à ébullition. Laisser frémir 15 minutes, en remuant à l'occasion.

Ajouter l'ananas et son jus ainsi que le jus de citron. Remuer. Porter de nouveau à ébullition. Laisser bouillir à découvert pendant 6 minutes. Remuer de temps en temps.

Incorporer la gélatine et remuer jusqu'à ce qu'elle soit dissoute. Écumer. Remplir des bocaux chauds stérilisés jusqu'à 6 mm ($^1/_4$ po) du couvercle. Sceller les bocaux. Donne 2 L (8 demiards).

Photo à la page 89.

CONFITURE DE CASSIS

Cette confiture est facile à faire, d'autant qu'il n'y a pas à équeuter les fruits.

Cassis	2 lb	1,8 kg
Eau	1¹/₃ tasse	300 mL
Sucre granulé	8 tasses	1,8 L
Pectine liquide	3 oz	85 g

Si les cassis semblent propres après le rinçage, on peut soit ôter les tiges et les styles qui restent (ce qui est pénible et prend du temps) soit hacher grossièrement le tout au robot. Il n'y paraîtra rien au bout du compte. Mêler les cassis et l'eau dans une marmite. Laisser mijoter, en remuant à l'occasion, environ 30 minutes, jusqu'à ce que la peau des cassis soit très tendre.

Incorporer le sucre et remuer jusqu'à ce qu'il soit dissous et jusqu'à ébullition vive. Laisser bouillir vivement pendant 10 minutes, en remuant une ou deux fois en cours de cuisson.

Ajouter la pectine. Laisser bouillir vivement pendant 2 minutes. Remplir des bocaux chauds stérilisés jusqu'à 6 mm (¹/₄ po) du couvercle. Sceller les bocaux. Donne 2 L (8 demiards).

CONGÉ-FITURE DE PÊCHES

Cette recette permet de profiter du bon goût frais des pêches, même au cœur de l'hiver.

Pêches, pelées, dénoyautées et réduites en purée, environ 454 g (1 lb)	1 tasse	250 mL
Sucre granulé	2³/₄ tasses	625 mL
Sirop de maïs léger	¹/₂ tasse	125 mL
Jus de citron, frais ou en bouteille	1 c. à soupe	15 mL
Pectine de fruit liquide, fraîche ou en bouteille	3 oz	85 g

Combiner les pêches, le sucre, le sirop de maïs et le jus de citron dans un bol et bien remuer. Laisser reposer 10 minutes.

Ajouter la pectine. Remuer jusqu'à ce que le sucre soit dissous. Répartir la préparation dans des petits récipients, en laissant 2,5 cm (1 po) à l'ouverture. Couvrir. Congeler. Après l'ouverture, la confiture se conserve au réfrigérateur environ 1 mois. Donne 800 mL (3¹/₂ tasses).

CONFITURE DE PÊCHES ET DE FRAISES : Préparer la confiture avec un mélange de pêches et de fraises écrasées, en proportions égales.

FLOCONS DE PERSIL

Il est très simple de conserver cette herbe qui pousse si bien dans le jardin.

Brins de persil frais

Disposer environ 5 bouquets de persil bien fournis en rond sur un essuie-tout, dans le four à micro-ondes. Recouvrir d'un second essuie-tout. Il vaut mieux sécher le persil en petites quantités. Chauffer à puissance maximale (100 %) pendant 2 minutes. Vérifier l'état du persil. S'il est encore humide, le chauffer 1 minute de plus. Poursuivre la cuisson en intervalles de 30 secondes, au besoin. Laisser refroidir sur une grille. Le persil devrait être sec et friable. L'écraser sous les doigts pour l'entreposer, en jetant les tiges épaisses. Conserver dans des petits bocaux ou n'importe quel autre récipient de petite taille.

FLOCONS DE CÉLERI : Sécher les feuilles des branches de céleri à la place du persil.

SAUCISSON D'ÉTÉ

Un saucisson simple, qui ne contient pas d'agents de remplissage. Il est fameux réchauffé ou servi froid. Le succès à chaque fois.

Sel de salage (pas du gros sel pour marinades)	**3 c. à soupe**	**45 mL**
Fumée liquide	**2 c. à soupe**	**30 mL**
Graines de moutarde	**1 c. à soupe**	**15 mL**
Sel à l'oignon	**2 c. à thé**	**10 mL**
Sel à l'ail	**1 c. à thé**	**5 mL**
Eau	**$1/_2$ tasse**	**125 mL**
Bœuf haché maigre	**6 lb**	**2,72 kg**

Combiner les 5 épices dans un grand bol. Mélanger. Y ajouter l'eau et bien remuer.

Incorporer d'abord la moitié de la viande au mélange d'épices, bien mélanger, puis incorporer le reste. Façonner cinq saucissons d'environ 5 cm (2 po) de diamètre. Les emballer bien serrés dans du papier d'aluminium. Réfrigérer 24 heures. Piquer les saucissons, sur le dessus et le dessous, puis les disposer dans un plat à rôtir ou à griller. Cuire au four à 300 °F (150 °C) pendant 2 heures. Laisser refroidir. Pour la congélation, emballer les saucissons sans les dégager du papier d'aluminium. Se conservent environ 6 mois au congélateur. Donne environ 2 kg (4 1/4 lb).

Photo à la page 53.

CHARQUI DE JAMBON

Cet en-cas est légèrement parfumé à la moutarde.

Jambon entièrement désossé cuit	**2 lb**	**900 g**
Moutarde préparée	**¹/₂ tasse**	**125 mL**
Eau	**¹/₂ tasse**	**125 mL**

Dégraisser le jambon. Le couper sur le travers en tranches de 6 mm (¹/₄ po) d'épaisseur. Couper celles-ci en lanières de 4 cm (1¹/₂ po) de largeur qui soient aussi longues que possible.

Délayer la moutarde dans l'eau dans un petit bol. Mettre les morceaux de jambon et le mélange de moutarde dans un sac de plastique. Appuyer doucement sur le sac pour bien napper tous les morceaux. Fermer le sac et réfrigérer jusqu'au lendemain. Poser des grilles au fond de grandes lèchefrites munies de bords. Retirer les lanières de jambon du sac, les racler sur le bord d'un bol pour en ôter l'excès de marinade puis disposer les morceaux sur les grilles. Sécher au four à 150 °F (65 °C) pendant 7 à 8 heures, selon l'épaisseur des morceaux. Retourner à mi-cuisson et déplacer les lèchefrites. Les lanières doivent être dures et sèches au toucher. Pour conserver longtemps, la congélation est préférable.

Photo à la page 53.

1. Antipasto page 21
2. Saucisson au poulet page 57
3. Saucisson d'été page 51
4. Picante salsa simple page 29
5. Gelée de piments forts page 47
6. Charqui de dinde page 58
7. Charqui de jambon page 52
8. Charqui simple page 57

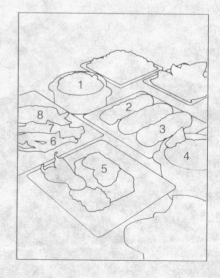

TABLETTES AUX POMMES

C'est la friandise qui plaît toujours, une gâterie à glisser à longueur d'année dans le sac du dîner.

Pommes surettes, en morceaux (pour faire la purée)	**1 1/2 lb**	**680 g**
Eau	**1/4 tasse**	**60 mL**
Purée de pommes	**2 tasses**	**450 mL**
Miel ou sucre granulé	**1 à 4 c. à soupe**	**15 à 60 mL**
Cannelle moulue (facultative)	**1/4 c. à thé**	**1 mL**

Cuire les pommes dans l'eau jusqu'à ce qu'elles soient tout juste tendres. Égoutter. Les passer au moulin.

Recueillir la quantité voulue de purée dans un bol. Y ajouter du miel et de la cannelle au goût. Bien remuer. Tapisser un moule plat de 25 × 38 cm (10 × 15 po) de pellicule plastique, en superposant 2 feuilles croisées pour que les bords qui dépassent soient bien longs. Étaler la purée sur le plastique. Sécher au four à 150 °F (65 °C) jusqu'au lendemain ou 8 à 10 heures pendant la journée, jusqu'à obtenir une plaque sèche au toucher qui se décolle de la pellicule plastique. On peut la retourner pour sécher un peu l'autre côté. Les tablettes doivent être souples et s'étirer un peu quand on les déchire. Les rouler dans une pellicule plastique pour les ranger dans un contenant hermétique ou les congeler.

Remarque : Avec 575 mL (2 1/2 tasses) de purée, on peut se servir d'un moule de 30 × 45 cm (12 × 18 po).

Photo sur la couverture.

TABLETTES AUX ABRICOTS

Abricots, dénoyautés, en moitiés	**1 lb**	**454 g**
Ananas broyé, égoutté	**1/2 tasse**	**125 mL**
Jus de citron, frais ou en bouteille	**1 c. à soupe**	**15 mL**
Miel ou sucre granulé	**1 à 4 c. à soupe**	**15 à 60 mL**

Réduire les abricots en purée et mesurer la quantité voulue. Ils n'exigent pas de cuisson. Préparer comme les tablettes aux pommes.

Photo sur la couverture.

TABLETTES AUX KIWIS : Réduire en purée environ 680 g (1 1/2 lb) de kiwis et mesurer la quantité voulue. Sucrer au goût. Les kiwis n'exigent pas de cuisson. Sécher en suivant la méthode qui précède.

Photo sur la couverture.

TABLETTES AUX FRAISES : Réduire en purée environ 600 mL (2 1/2 tasses) de fraises et mesurer la quantité voulue. Sucrer au goût. Les fraises n'exigent pas de cuisson. Sécher en suivant la méthode qui précède.

Photo à la page 35.

CHARQUI DE BŒUF

Quel délice!

Sauce soja	$^1/_3$ **tasse**	75 mL
Cassonade	3 c. à soupe	50 mL
Sauce Worcestershire	2 c. à thé	10 mL
Poudre d'oignon	$^1/_4$ c. à thé	1 mL
Gingembre moulu	$^1/_4$ c. à thé	1 mL
Poudre d'ail	$^1/_4$ c. à thé	1 mL
Fumée liquide	$^1/_4$ c. à thé	1 mL
Sel de table	$^1/_2$ c. à thé	2 mL
Bifteck d'intérieur de ronde maigre, dégraissé, environ 2,5 cm (1 po) d'épaisseur (voir remarque)	1 lb	454 g

Mêler les 8 premiers ingrédients dans un bol. Mettre de côté.

Couper la viande sur le travers en tranches de 3 à 6 mm ($^1/_8$ à $^1/_4$ po) d'épaisseur, ce qui est plus aisé si elle est partiellement congelée. La viande ne sèche pas si les tranches sont trop épaisses. Mettre les morceaux de viande dans le bol. Remuer pour bien les napper de marinade. Couvrir. Laisser reposer au réfrigérateur jusqu'au lendemain. Racler les morceaux de viande sur le bord du bol pour en ôter l'excès de marinade. Poser des grilles au fond de grandes lèchefrites munies de bords. Disposer les morceaux de viande sur les grilles, en une seule couche. Sécher au four à 150 °F (65 °C) pendant 7 à 8 heures. Retourner les morceaux à mi-cuisson et déplacer les lèchefrites. La recette permet de remplir 2 bocaux hauts et étroits. Pour conserver longtemps, la congélation est préférable.

Remarque : En demandant au boucher de tailler de fines tranches dans l'intérieur de ronde, il suffit ensuite de couper celles-ci en lanières.

CHARQUI FUMÉ

Toujours le même délicieux en-cas, mais cette fois avec un petit extra.

Bifteck d'intérieur de ronde, dégraissé, en tranches de 6 mm ($^1/_4$ po) d'épaisseur	2 lb	900 g
Eau	1 tasse	225 mL
Sauce Worcestershire	2 c. à thé	10 mL
Sel de table	2 c. à thé	10 mL
Poivre	1 c. à thé	5 mL
Sel à l'oignon	1 c. à thé	5 mL
Sel à l'ail	1 c. à thé	5 mL
Fumée liquide	$^1/_2$ c. à thé	2 mL

(suite...)

Dégraisser la viande. Couper les tranches en lanières de 3,5 cm (1 ½ po) de largeur, aussi longues que possible.

Mêler le reste des ingrédients dans un petit bol jusqu'à ce que le sel soit dissous. Verser la préparation dans un sac de plastique et y ajouter les morceaux de bœuf. Frotter doucement le sac pour napper de marinade tous les morceaux. Fermer le sac et le réfrigérer jusqu'au lendemain. Retirer les lanières du sac et les racler sur le bord d'un bol pour en ôter l'excès de marinade. Poser des grilles au fond de grandes lèchefrites munies de bords et y disposer les morceaux en une seule couche. Sécher au four à 150 °F (65 °C) pendant 7 à 8 heures. Retourner les morceaux à mi-cuisson et déplacer les lèchefrites. Les lanières doivent être dures et sèches au toucher, mais assez souples pour plier. Laisser refroidir. Conserver au frais ou dans le réfrigérateur dans des récipients hermétiques. Congeler pour la conservation à long terme. Donne environ 454 g (1 lb).

CHARQUI SIMPLE : Faire mariner les lanières de bœuf dans de la sauce barbecue. Les racler sur le bord d'un bol pour ôter l'excès de sauce. Sécher en suivant les indications qui précèdent.

Photo à la page 53.

SAUCISSON AU POULET

Ce saucisson a un goût poivré. Il suffit de le trancher fin pour le servir en sandwich ou comme hors-d'œuvre.

Sel de table	**2 c. à thé**	**10 mL**
Poivre	**³/₄ c. à thé**	**4 mL**
Thym	**¹/₄ c. à thé**	**1 mL**
Sauge	**¹/₄ c. à thé**	**1 mL**
Poivre de Cayenne	**¹/₄ c. à thé**	**1 mL**
Eau	**1 c. à soupe**	**15 mL**
Dinde ou poulet frais, haché	**3 lb**	**1,36 kg**

Combiner les 6 premiers ingrédients dans un grand bol.

Y ajouter le poulet haché. Mélanger. Façonner 3 saucissons d'environ 5 cm (2 po) de diamètre. Les emballer bien serrés dans du papier d'aluminium. Réfrigérer 24 heures. Piquer les saucissons, sur le dessus et le dessous, puis les disposer dans un plat à rôtir ou à griller. Cuire au four à 300 °F (150 °C) pendant 2 heures. Bien emballer. Se conserve environ 6 mois au congélateur. Donne 900 g (2 lb).

Photo à la page 53.

CHARQUI DE DINDE

Le casse-croûte idéal pour la chasse, et en tout temps.

Poitrine de dinde désossée	**2 lb**	**900 g**
Sauce soja	$1/4$ **tasse**	**60 mL**
Eau	$1/4$ **tasse**	**60 mL**
Ketchup	**2 c. à soupe**	**30 mL**
Sucre granulé	**1 c. à soupe**	**15 mL**
Sel de table	**2 c. à thé**	**10 mL**
Poivre	$1/2$ **c. à thé**	**2 mL**
Poudre d'oignon	$1/2$ **c. à thé**	**2 mL**
Poudre d'ail	$1/2$ **c. à thé**	**2 mL**
Sauce Worcestershire	$1/2$ **c. à thé**	**2 mL**
Fumée liquide	$1/2$ **c. à thé**	**2 mL**

Couper la dinde en tranches de 6 mm ($1/4$ po) d'épaisseur, puis couper les tranches en longues lanières de 3,5 cm ($1 1/2$ po) de largeur.

Combiner les autres ingrédients dans un petit bol en remuant jusqu'à ce que le sel soit dissous. Verser la préparation dans un sac de plastique et y ajouter les morceaux de dinde. Frotter doucement le sac pour napper de marinade tous les morceaux. Fermer le sac et le réfrigérer jusqu'au lendemain. Retirer les lanières du sac et les racler sur le bord d'un bol pour en ôter l'excès de marinade. Poser des grilles au fond de grandes lèchefrites munies de bords et y disposer les morceaux en une seule couche. Sécher au four à 150 °F (65 °C) pendant 7 à 8 heures. Retourner les morceaux à mi-cuisson et déplacer les lèchefrites. Les lanières doivent être dures et sèches au toucher, mais assez souples pour plier. Laisser refroidir. Conserver au frais ou dans le réfrigérateur dans un bocal ou un sac de plastique. Pour conserver longtemps, la congélation est préférable.

Photo à la page 53.

MARMELADE DE POMMES

Cette marmelade a un goût sensationnel, particulièrement au petit déjeuner, avec des brioches.

Pommes surettes, Granny Smith par exemple, pelées, épépinées et tranchées fin	4	4
Zeste râpé et jus d'une petite orange	$^1/_2$	$^1/_2$
Zeste râpé et jus d'un petit citron	$^1/_2$	$^1/_2$
Eau	$^1/_2$ tasse	125 mL
Sucre granulé	2 tasses	500 mL

Préparer les pommes, les zestes et le jus. Mettre le tout dans un bol.

Mêler l'eau et le sucre dans une marmite et porter à ébullition à feu moyen en remuant. Ajouter les fruits. Porter à nouvelle ébullition. Laisser mijoter à découvert pendant environ 45 minutes, en remuant de temps en temps, jusqu'à ce que les fruits soient translucides et que la préparation épaississe. Vérifier la prise de la marmelade en en laissant refroidir une petite cuillerée sur une assiette froide. Quand elle est prise, remplir des bocaux chauds stérilisés jusqu'à 6 mm ($^1/_4$ po) du couvercle. Sceller les bocaux. Donne 500 mL (2 demiards).

MARMELADE D'ORANGES ET D'ANANAS

On peut faire de la marmelade n'importe quand avec cette recette simple qui est appelée à devenir une tradition.

Grosses oranges	4	4
Eau	2 tasses	500 mL
Sucre granulé	4 tasses	900 mL
Ananas broyé dans son jus, en conserve	2 × 14 oz	2 × 398 mL

Râper le zeste des oranges et le mettre avec l'eau dans une casserole. Réserver les oranges pour autre chose. Porter à ébullition. Couvrir et laisser mijoter jusqu'à ce que le zeste soit tendre, soit 5 à 10 minutes. Égoutter au tamis et recueillir le jus dans la casserole.

Ajouter le sucre et l'ananas broyé. Porter à ébullition en remuant souvent. Laisser bouillir vivement pendant 35 minutes, en remuant 2 ou 3 fois en cours de cuisson, jusqu'à ce que la préparation épaississe. Vérifier la prise de la marmelade en en laissant refroidir une petite cuillerée sur une assiette froide. Remplir des bocaux chauds stérilisés jusqu'à 6 mm ($^1/_4$ po) du couvercle. Sceller les bocaux. Donne 750 mL (3 demiards) et 1 petit bocal.

MARMELADE DE POIRES AU GINGEMBRE

Ce mélange est parfait.

Poires pelées, épépinées et tranchées, environ 2 kg (4 ½ lb)	10 tasses	2,25 L
Zeste râpé et jus d'une orange	1	1
Zeste râpé et jus d'un citron	1	1
Sucre granulé	6 tasses	1,35 L
Morceau de gingembre frais d'environ 5 cm (2 po) de long, noué dans une étamine double		

Mêler les ingrédients dans une marmite. Remuer. Laisser reposer 1 heure, jusqu'à ce que les poires rendent du jus. Porter à ébullition en remuant. Cuire à découvert en remuant souvent jusqu'à ce que les poires mollissent. Poursuivre la cuisson jusqu'à ce que la marmelade prenne, soit environ 55 minutes. Jeter le sachet qui renferme le gingembre. Écumer au besoin. Remplir des bocaux chauds stérilisés jusqu'à 6 mm (¼ po) du couvercle. Sceller les bocaux. Donne 1,5 L (6 demiards).

MARMELADE DE PÊCHES ET D'ORANGES

Cette belle marmelade est d'un beau rouge orangé, et elle est exquise.

Pêches non pelées, dénoyautées, en quartiers	7	7
Orange, épépinée, en morceaux	1	1
Cerises au marasquin, dénoyautées	⅓ tasse	75 mL
Sucre granulé, même quantité que de pulpe		
Essence d'amande	½ c. à thé	2 mL

Passer les pêches, les morceaux d'orange et les cerises au moulin. Mesurer la quantité de pulpe et la vider dans une marmite.

Ajouter autant de sucre qu'il y a de pulpe, puis ajouter l'essence d'amande. Chauffer en remuant jusqu'à ce que le sucre soit dissous et que la préparation bouille. Laisser bouillir 30 à 40 minutes, en remuant à l'occasion, jusqu'à ce que la marmelade prenne, ce que l'on vérifie en en laissant refroidir une petite cuillerée sur une assiette froide. Remplir des bocaux chauds stérilisés jusqu'à 6 mm (¼ po) du couvercle. Sceller les bocaux. Donne 1,25 L (5 demiards).

Photo à la page 89.

MARMELADE D'ORANGES

Cette marmelade foncée et translucide est parsemée de brins de zeste.

Oranges moyennes	**6**	**6**
Citrons moyens	**3**	**3**
Eau	**3 tasses**	**700 mL**
Zeste d'orange		
Zeste de citron		
Eau	**2 ^{1}/$_4$ tasses**	**500 mL**

Sucre granulé, 250 mL (1 tasse)
   pour autant de fruits

Peler les oranges et les citrons aussi fin que possible, en essayant d'éviter que la membrane blanche ne colle au zeste. Mettre le zeste dans un sac de plastique pour l'empêcher de sécher. Laisser reposer jusqu'au lendemain. Trancher les oranges et les citrons et les mettre dans une casserole. Ajouter la première quantité d'eau. Laisser frémir pendant 2 heures. Vider dans une mousseline à gelée et laisser dégoutter jusqu'au lendemain.

Avec un couteau ou des ciseaux, couper le zeste en longs brins fins. Les mettre dans une casserole et y ajouter la seconde quantité d'eau. Laisser bouillir 15 minutes jusqu'à ce que le zeste soit tendre, en remuant de temps en temps. Égoutter et recueillir 450 mL (2 tasses) de jus, en y ajoutant un peu d'eau au besoin. Ajouter ce liquide à celui qui a dégoutté de la mousseline à gelée.

Mélanger et mesurer le zeste et le jus, puis mettre le tout dans une marmite. Ajouter autant de sucre qu'il y a de fruits. Porter à ébullition à feu vif, en remuant. Laisser bouillir vivement pendant environ 25 minutes, en remuant 2 ou 3 fois en cours de cuisson, jusqu'à ce que la marmelade prenne, ce que l'on vérifie en en laissant refroidir une petite cuillerée sur une assiette froide. Remplir des bocaux chauds stérilisés jusqu'à 6 mm (^{1}/$_4$ po) du couvercle. Sceller les bocaux. Donne 750 mL (3 demiards) et 1 petit bocal.

MARMELADE DE RHUBARBE DORÉE

La texture et le goût de cette marmelade rivalisent. Elle est orangée.

Rhubarbe, hachée	**8 tasses**	**1,8 L**
Sucre granulé	**10 tasses**	**2,25 L**
Oranges, passées au hachoir	**3**	**3**
Citron, passé au hachoir	**1**	**1**

Combiner tous les ingrédients dans un grand bol. Remuer. Couvrir et laisser reposer sur le comptoir jusqu'au lendemain. Mettre le tout dans une marmite. Porter à ébullition à feu vif, en remuant souvent. Laisser bouillir 30 minutes. Vérifier la prise de la marmelade en en laissant refroidir une petite cuillerée sur une assiette froide. Quand la marmelade est prête, remplir des bocaux chauds stérilisés jusqu'à 6 mm (^{1}/$_4$ po) du couvercle. Sceller les bocaux. Donne 2,5 L (10 demiards).

MARMELADE D'AGRUMES

Cette marmelade plutôt liquide est délicieuse. La recette est généreuse, mais on peut la réduire de moitié.

Pamplemousse, en morceaux	$^1/_2$	$^1/_2$
Orange, en quartiers	1	1
Citron, en moitiés	1	1
Eau, 3 fois autant que de fruits		
Sucre granulé, 1$^1/_2$ fois la quantité de pulpe		

Épépiner les fruits, puis les passer au hachoir. Mesurer la quantité de pulpe obtenue puis la mettre dans une marmite.

Y ajouter 750 mL (3 tasses) d'eau pour chaque 250 mL (1 tasse) de pulpe. Porter à ébullition en remuant de temps en temps. Laisser mijoter 20 minutes, puis laisser bouillir vivement pendant 20 minutes, en remuant 2 ou 3 fois en cours de cuisson. Mesurer la quantité obtenue.

Ajouter 375 mL (1$^1/_2$ tasse) de sucre pour chaque 250 mL (1 tasse) de pulpe. Porter à nouvelle ébullition en remuant. Laisser bouillir vivement jusqu'à ce que la préparation épaississe, ce qui devrait prendre environ 20 minutes. Vérifier la prise de la marmelade en en laissant refroidir une petite cuillerée sur une assiette froide. Remplir des bocaux chauds stérilisés jusqu'à 6 mm ($^1/_4$ po) du couvercle. Sceller les bocaux. Donne 1,25 L (5 demiards).

MARMELADE DE CAROTTES

Cette marmelade est bien consistante et joliment colorée.

Carottes râpées, environ 900 g (2 lb)	6 tasses	1,35 L
Citron non pelé, épépiné et broyé	1$^1/_2$	1$^1/_2$
Orange non pelée, épépinée et broyée	1$^1/_2$	1$^1/_2$
Ananas broyé dans son jus, en conserve	1 tasse	225 mL
Sucre granulé	6 tasses	1,35 L
Sel de table	$^1/_2$ c. à thé	2 mL
Cerises au marasquin, hachées	$^1/_3$ tasse	75 mL

Combiner les 6 premiers ingrédients dans un grand bol. Couvrir et laisser reposer sur le comptoir jusqu'au lendemain. Verser le tout dans une marmite. Porter à ébullition à feu moyen, en remuant souvent. Laisser bouillir vivement pendant 3 minutes, sans remuer.

Ajouter les cerises. Remuer. Remplir des bocaux chauds stérilisés jusqu'à 6 mm ($^1/_4$ po) du couvercle. Sceller les bocaux. Donne 2 L (8 demiards).

Photo à la page 143.

MARMELADE DE COURGETTES

Cette marmelade économique ne manque pas de goût.

Courgettes pelées, vidées et hachées	6 lb	2,7 kg
Sucre granulé	12 tasses	2,7 L
Oranges non pelées	3	3
Citrons non pelés	2	2
Gingembre cristallisé	2 oz	56 g

Passer les courgettes au hachoir et les recueillir dans un bol.

Les couvrir de sucre. Couvrir et laisser reposer sur le comptoir jusqu'au lendemain. Au matin, vider le tout dans une marmite.

Couper les oranges et les citrons en quartiers. Ôter les pépins. Les passer au hachoir. Broyer le gingembre. Ajouter le tout aux courgettes. Chauffer à feu moyen en remuant jusqu'à ce que le sucre soit dissous. Porter à ébullition en remuant de temps en temps. Laisser bouillir jusqu'à ce que la marmelade épaississe, en remuant de temps en temps, soit environ 1$\frac{1}{4}$ heure. Vérifier la prise de la marmelade en en laissant refroidir une petite cuillerée sur une soucoupe froide. Remplir des bocaux chauds stérilisés jusqu'à 6 mm ($\frac{1}{4}$ po) du couvercle. Sceller les bocaux. Donne 3 L (12 demiards).

MARMELADE DE RHUBARBE

Cette marmelade a bon goût et bonne consistance. On y goûte nettement les oranges.

Rhubarbe, en morceaux	2 lb	900 g
Sucre granulé	2 lb	900 g
Orange	1$\frac{1}{2}$	1$\frac{1}{2}$

Mettre la rhubarbe et le sucre dans une marmite. Peler l'orange très fin, en évitant que la membrane blanche ne colle au zeste. Enlever et jeter la membrane blanche. Couper le zeste en lanières très étroites, puis couper celles-ci en morceaux courts. Hacher l'orange en petits morceaux. Ajouter le zeste et la pulpe au contenu de la marmite. Porter à ébullition à feu vif en remuant. Laisser bouillir à découvert environ 30 minutes, en remuant de temps en temps. Vérifier la prise de la marmelade en en laissant refroidir une cuillerée sur une soucoupe froide. Remplir des bocaux chauds stérilisés jusqu'à 6 mm ($\frac{1}{4}$ po) du couvercle. Sceller les bocaux. Donne 1,25 L (5 demiards).

Photo à la page 143.

MARMELADE DE PÊCHES ET DE POIRES

On ajoute des cerises à cette marmelade à base de deux fruits pour lui donner de la couleur.

Orange non pelée, découpée, épépinée, passée au hachoir	1	1
Eau	1 tasse	250 mL
Grosses pêches pelées, hachées	4	4
Poires pelées, épépinées et hachées	3	3
Sucre granulé	3 tasses	675 mL
Jus de citron, frais ou en bouteille	2 c. à soupe	30 mL
Sel de table	$1/8$ c. à thé	0,5 mL
Gingembre moulu	$1/8$ c. à thé	0,5 mL
Cerises au marasquin, hachées	6	6

Combiner l'orange hachée et l'eau dans une casserole. Remuer. Laisser bouillir 15 minutes, en remuant de temps en temps.

Ajouter les pêches, les poires, le sucre, le jus de citron, le sel et le gingembre. Remuer. Cuire, en remuant de temps en temps, jusqu'à ce que la marmelade prenne, soit environ 45 minutes.

Incorporer les cerises. Remplir des bocaux chauds stérilisés jusqu'à 6 mm ($1/4$ po) du couvercle. Sceller les bocaux. Donne 1 L (4 demiards).

MARMELADE DE NOIX DE GRENOBLE

Cette jolie marmelade foncée est délicatement parfumée aux noix. La recette se double ou se triple sans difficulté.

Pêches, pelées et dénoyautées	6	6
Petit citron épépiné, en morceaux	1	1
Noix de Grenoble, hachées	1 tasse	250 mL
Sucre granulé		

Passer les pêches, le citron et les noix au hachoir. Mesurer la quantité obtenue, puis mettre le tout dans une marmite.

Ajouter à la marmite autant de sucre qu'il y a de mélange de noix et de fruits. Porter à ébullition en remuant. Laisser frémir pendant 35 à 40 minutes. Vérifier la prise de la marmelade en en laissant refroidir une cuillerée sur une soucoupe froide. Remplir des bocaux chauds stérilisés jusqu'à 6 mm ($1/4$ po) du couvercle. Sceller les bocaux. Donne 1 L (4 demiards).

PAPAYES MARINÉES

Ce condiment jaune sort de l'ordinaire. Il alimente toujours la conversation au repas.

Papayes fermes et mûres, environ 2,27 kg (5 lb)	4	4
Sucre granulé	4 tasses	900 mL
Vinaigre blanc	4 tasses	900 mL
Épices mélangées pour marinades, nouées dans une étamine double	2 1/2 c. à soupe	40 mL

Peler les papayes. Les couper en moitiés et les épépiner. Couper chaque moitié en bâtonnets, en cubes ou en tranches.

Combiner le sucre, le vinaigre et les épices pour marinades dans une marmite. Chauffer en remuant à feu moyen jusqu'à ce que le sucre soit dissous. Ajouter les papayes. Porter à ébullition. Réduire la chaleur. Laisser mijoter, en remuant de temps en temps, jusqu'à ce que les papayes soient translucides et tendres, soit quelque 45 à 50 minutes. Jeter le sachet d'épices. Entasser les papayes dans des bocaux chauds stérilisés en laissant 2,5 cm (1 po) à l'ouverture, puis les remplir de sirop jusqu'à 6 mm (1/4 po) du couvercle. Sceller les bocaux. Laisser reposer 3 semaines avant de servir. Donne 1 L (4 demiards).

Photo à la page 107.

AIL AU VINAIGRE

Avec les yeux fermés, il est impossible de deviner quel est ce condiment.

Gousses d'ail	1/2 lb	250 g
Gros poivron rouge, épépiné et émincé	1	1
Vinaigre blanc	2 tasses	500 mL
Sucre granulé	2/3 tasse	150 mL
Graines de moutarde	1/2 c. à thé	2 mL
Graines de céleri	1/2 c. à thé	2 mL

Peler l'ail. Laisser les petites gousses entières, mais couper les plus grosses en deux. Les mêler avec le poivron rouge.

Mêler le vinaigre et le sucre dans une casserole. Nouer les graines de moutarde et de céleri dans un sachet de coton et mettre celui-ci dans la casserole. Porter à ébullition à feu vif, en remuant souvent. Laisser bouillir 5 minutes. Ajouter l'ail et le poivron rouge. Porter à nouvelle ébullition. Laisser bouillir 5 minutes de plus. Jeter le sachet d'épices. Remplir des bocaux chauds stérilisés, avec l'ail et le poivron rouge, en laissant 2,5 cm (1 po) à l'ouverture. Remplir de saumure chaude jusqu'à 6 mm (1/4 po) du couvercle. Sceller les bocaux. Laisser reposer plusieurs semaines avant de servir. Donne 500 mL (2 demiards).

Photo à la page 107.

BETTERAVES MARINÉES

Ces betterave sortent un peu de l'habituel. On peut couper les proportions de moitié.

Petites betteraves	**10 lb**	**4,5 kg**
Eau bouillante		
Vinaigre de cidre	**4¹/₂ tasses**	**1,1 L**
Eau	**2 tasses**	**500 mL**
Sucre granulé	**3³/₄ tasses**	**850 mL**
Sel de table	**2¹/₂ c. à thé**	**12 mL**
Graines de moutarde	**1¹/₄ c. à thé**	**6 mL**
Graines de céleri	**1¹/₄ c. à thé**	**6 mL**

Laisser au moins 2,5 cm (1 po) de fanes sur les betteraves. Cuire celles-ci dans l'eau bouillante jusqu'à ce qu'elles soient tendres. Égoutter. Les rincer à l'eau froide et les peler en les frottant avec les doigts. Entasser les betteraves dans des bocaux de 500 mL (1 chopine) ou de 1 L (1 pte) en laissant 2,5 cm (1 po) à l'ouverture. Couper les betteraves qui sont trop grosses.

Combiner le vinaigre, la seconde quantité d'eau, le sucre et le sel dans une marmite.

Nouer les graines de moutarde et de céleri dans un sachet de coton. Ajouter ce sachet au contenu de la marmite. Porter à ébullition. Laisser mijoter environ 15 minutes, en remuant de temps en temps. Jeter le sachet d'épices. Verser le sirop sur les betteraves jusqu'à 6 mm (¹/₄ po) du couvercle. Sceller les bocaux. Laisser reposer 3 semaines avant de servir. Donne environ 6 L (6 pte).

Photo à la page 107.

Ce délicieux condiment coloré se distingue par sa sauce jaune.

Concombres non pelés, grossièrement hachés	2 tasses	500 mL
Oignons, grossièrement hachés	2 tasses	500 mL
Petits concombres genre gherkin, entiers ou coupés en deux sur la largeur	2 tasses	500 mL
Petits oignons blancs entiers	2 tasses	500 mL
Gros sel (pour marinades)	1 tasse	250 mL
Eau	1 tasse	250 mL
Tête de céleri, hachée (voir remarque)	$1/2$	$1/2$
Petits poivrons rouges, épépinés et hachés	2	2
Pommes surettes, pelées, épépinées et hachées	2	2
SAUCE		
Sucre granulé	$3^1/2$ tasses	825 mL
Vinaigre blanc	3 tasses	750 mL
Graines de moutarde	$4^1/3$ c. à soupe	65 mL
Farine tout usage	6 c. à soupe	100 mL
Moutarde en poudre	$1^1/2$ c. à soupe	25 mL
Curcuma	2 c. à thé	10 mL
Eau	$3/4$ tasse	175 mL

Combiner tous les concombres, les oignons hachés et les petits oignons blancs dans un grand bol.

Dissoudre le sel dans l'eau dans un bol moyen. Bien remuer. Verser ce mélange sur le mélange de concombres et d'oignons. Bien mélanger. Couvrir et laisser reposer sur le comptoir jusqu'au lendemain. Égoutter. Rincer à grande eau. Égoutter.

Ajouter le céleri, les poivrons rouges et les pommes. Remuer. Mettre de côté.

Sauce : Combiner le sucre, le vinaigre et les graines de moutarde dans une marmite. Porter à ébullition à feu vif en remuant. Ajouter le mélange de légumes et de pommes. Porter à nouvelle ébullition, en remuant souvent.

Mêler la farine avec les graines de moutarde et le curcuma dans un petit bol. Incorporer l'eau en remuant jusqu'à ce que la préparation soit lisse et qu'il ne reste plus de grumeaux. Ajouter ce mélange au contenu de la marmite et porter à nouvelle ébullition en remuant. Laisser bouillir 10 minutes à feu moyen, en remuant sans arrêt. Remplir des bocaux chauds stérilisés jusqu'à 6 mm ($1/4$ po) du couvercle. Sceller les bocaux. Laisser reposer 2 semaines avant de servir. Donne 3 L (6 chopines).

Remarque : Hacher les branches de céleri, en mettant la moitié des branches d'une tête ou une tête entière.

Photo sur la couverture.

ÉCORCE DE MELON D'EAU MARINÉE

Cette savoureuse marinade a l'avantage d'entretenir la conversation.

Gros melon d'eau, 4 à 4,5 kg (9 à 10 lb)	1	1
Eau, pour couvrir		
Eau	2 tasses	500 mL
Vinaigre de cidre	3 tasses	750 mL
Sucre granulé	6 tasses	1,5 L
Bâtons de cannelle, cassés en morceaux	3	3
Clous de girofle entiers	1½ c. à thé	7 mL

Couper le melon d'eau en deux. Poser les moitiés à plat et les couper en tranches de 2,5 cm (1 po) d'épaisseur. Dégager la chair rose de l'écorce, en en laissant un peu ici et là pour donner de la couleur. Enlever la pelure verte avec un couteau-éplucheur. Couper l'écorce blanche en morceaux de 2,5 cm (1 po) de long. Il faut 1,8 kg (4 lb) d'écorce. La mettre dans une marmite.

Couvrir d'eau. Porter à ébullition à feu moyen. Couvrir et laisser mijoter environ 15 minutes, jusqu'à ce que l'écorce soit tendre, mais encore croustillante. Égoutter. Mettre l'écorce dans un bol.

Verser la seconde quantité d'eau, le vinaigre et le sucre dans une marmite. Nouer la cannelle et les clous de girofle dans une étamine double et les ajouter au contenu de la marmite. Porter à ébullition à feu vif en remuant souvent. Laisser bouillir 5 minutes. Ajouter l'écorce. Porter de nouveau à ébullition. Réduire la chaleur. Laisser mijoter à découvert en remuant de temps en temps pendant environ 1 heure, jusqu'à ce que l'écorce soit translucide. Jeter le sachet d'épices. Entasser les morceaux d'écorce dans des bocaux chauds stérilisés en laissant 2,5 cm (1 po) à l'ouverture. Verser la saumure sur l'écorce, en remplissant les bocaux jusqu'à 6 mm (¼ po) du couvercle. Sceller les bocaux. Laisser reposer 3 semaines avant de servir. Donne 1,5 L (3 chopines).

Photo à la page 71.

CHOW CHOW DES MARITIMES

Il suffit de tripler cette recette traditionnelle pour faire assez de chow chow pour en offrir à ses enfants ou à des amis.

Tomates vertes, tranchées	5 ¹/₃ lb	2,5 kg
Oignons, en morceaux	1 ¹/₂ lb	680 g
Gros sel (pour marinades)	¹/₃ tasse	75 mL
Sucre granulé	3 ¹/₃ tasses	750 mL
Épices mélangées pour marinades, nouées dans une étamine double	4 ¹/₂ c. à soupe	85 mL
Curcuma	2 c. à thé	10 mL
Vinaigre blanc	2 tasses	450 mL

Mettre les tomates et les oignons en couches successives, avec le sel, dans une marmite. Couvrir et laisser reposer sur le comptoir jusqu'au lendemain. Égoutter.

Ajouter les autres ingrédients. Le vinaigre devrait tout juste couvrir les légumes; s'il y en a trop, le chow chow sera trop liquide. Chauffer en remuant jusqu'à ce que le sucre soit dissous. Porter à ébullition. Laisser mijoter à découvert pendant 2 heures, en remuant de temps en temps. On peut ajouter du curcuma pour accentuer la couleur et du sucre pour rajuster l'assaisonnement. Pour être sûr du goût, laisser refroidir une cuillerée de la préparation avant d'y goûter. Remplir des bocaux chauds stérilisés jusqu'à 6 mm (¹/₄ po) du couvercle. Sceller les bocaux. Donne 2 L (4 chopines).

Photo à la page 107.

PICCALILLI

Quelle ingénieuse façon d'apprêter des tomates vertes!

Tomates vertes, hachées	3 lb	1,5 kg
Petit poivron vert, haché	1	1
Oignons, hachés	1½ lb	750 g
Gros sel (pour marinades)	½ tasse	125 mL
Vinaigre blanc	3 tasses	750 mL
Sucre granulé	3 tasses	750 mL
Épices mélangées pour marinades, nouées dans une étamine double	1 c. à soupe	15 mL
Graines de moutarde	1 c. à thé	5 mL

Combiner les 4 premiers ingrédients dans un bol. Couvrir et laisser reposer sur le comptoir jusqu'au lendemain. Bien égoutter, en essorant bien pour recueillir tout le jus.

Combiner le vinaigre, le sucre, le sachet d'épices et les graines de moutarde dans une marmite. Y ajouter les légumes égouttés. Porter à ébullition en remuant souvent. Laisser mijoter tout doucement à découvert pendant environ 5 minutes, jusqu'à ce que les légumes soient à moitié cuits. Jeter le sachet d'épices. Remplir des bocaux chauds stérilisés jusqu'à 6 mm ('/4 po) du couvercle. Sceller les bocaux. Donne 2,5 L (5 chopines).

1. Haricots au porc page 112
2. Relish de maïs page 121
3. Courgettes marinées page 87
4. Crème à l'abricot page 20
5. Relish à l'indienne page 131
6. Garniture de tarte aux pommes page 106
7. Cornichons à l'aneth extra page 78
8. Concentré de framboises page 30
9. Écorce de melon d'eau marinée page 68
10. Melon d'eau au vinaigre page 92
11. Tartinade à sandwich page 138
12. Carottes à l'aneth page 77

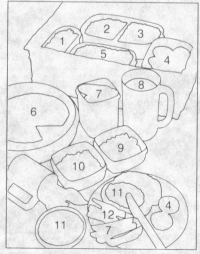

TRIO DE LÉGUMES MARINÉS

Cette marinade entièrement blanche attire les regards.

Concombres moyens, pelés	5	5
Bouquets de chou-fleur	2 tasses	500 mL
Petits oignons blancs entiers	4 tasses	1 L
Eau	8 tasses	2 L
Gros sel (pour marinades)	$\frac{1}{2}$ tasse	125 mL
Vinaigre blanc	2 tasses	500 mL
Eau	1 tasse	250 mL
SAUMURE		
Sucre granulé	3 tasses	750 mL
Vinaigre blanc	$1\frac{1}{2}$ tasse	375 mL
Eau	$1\frac{1}{4}$ tasse	300 mL
Épices mélangées pour marinades	$1\frac{1}{4}$ c. à thé	6 mL

Trancher les concombres en deux sur la largeur, puis recouper chaque moitié sur la longueur. Couper ensuite chaque $\frac{1}{4}$ de concombre en 4 morceaux. Mettre tous les morceaux dans un grand bol. Y ajouter le chou-fleur. Plonger quelques oignons à la fois dans l'eau bouillante et les y laisser 20 à 30 secondes. Les peler et les ajouter aux légumes, dans le bol.

Délayer le sel dans l'eau. Verser le mélange sur les légumes. Couvrir et laisser reposer sur le comptoir jusqu'au lendemain. Égoutter les légumes et les mettre dans une marmite.

Ajouter le vinaigre et l'eau. Porter à ébullition, en remuant souvent. Cuire 15 minutes à découvert en remuant de temps en temps. Égoutter.

Saumure : Combiner le sucre avec le vinaigre et l'eau dans une casserole. Nouer les épices pour marinades dans une étamine double. Ajouter le sachet au contenu de la casserole. Remuer. Porter à ébullition et laisser bouillir 1 minute. Jeter le sachet d'épices. Entasser les légumes à demi refroidis dans des bocaux chauds stérilisés en laissant 2,5 cm (1 po) à l'ouverture. Remplir de saumure jusqu'à 6 mm ($\frac{1}{4}$ po) du couvercle. Sceller les bocaux. Laisser reposer 3 semaines avant de servir. Donne 1,75 L ($3\frac{1}{2}$ chopines).

Photo à la page 107.

CORNICHONS SUCRÉS À LA MOUTARDE

Ce condiment jaune parsemé de petits morceaux verts est délicieux. On peut couper la recette de moitié.

Chou-fleur, défait en bouquets	1	1
Petits concombres, entiers ou en morceaux	4 tasses	900 mL
Gros concombres, en petits morceaux	4 tasses	900 mL
Gros oignons, tranchés	4 tasses	900 mL
Petits oignons blancs entiers, pelés	2 lb	900 g
Poivrons rouges, épépinés et hachés	3	3
Poivrons verts, épépinés et hachés	2	2
Gros sel (pour marinades)	1 tasse	250 mL
Eau	12 tasses	3 L
Sucre granulé	5 tasses	1,25 L
Eau	1 1/2 tasse	375 mL
Farine tout usage	1 tasse	250 mL
Moutarde sèche	1/4 tasse	60 mL
Curcuma	1 c. à soupe	15 mL
Graines de moutarde	1 c. à soupe	15 mL
Graines de céleri	1 c. à soupe	15 mL
Vinaigre blanc	4 1/2 tasses	1,13 L

Combiner les 7 premiers ingrédients dans un grand bol.

Saupoudrer de sel. Ajouter la première quantité d'eau. Couvrir. Laisser reposer sur le comptoir jusqu'au lendemain.

Égoutter les légumes. Les mettre dans une marmite. Y ajouter le sucre et la seconde quantité d'eau. Porter à ébullition à feu moyen, en remuant souvent.

Mêler les 6 derniers ingrédients dans un bol moyen pour faire une pâte. Incorporer ce mélange aux légumes en ébullition. Porter de nouveau à ébullition en remuant sans arrêt. Laisser frémir pendant 30 minutes, à découvert, en remuant de temps en temps. Remplir des bocaux chauds stérilisés jusqu'à 6 mm (1/4 po) du couvercle. Sceller les bocaux. Donne 5 L (10 chopines).

Photo à la page 107.

OIGNONS AU VINAIGRE

Quel régal idéal pour un barbecue! Ils complètent bien un assortiment de condiments.

Petits oignons blancs	8 tasses	2 L
Eau bouillante, pour couvrir		
Eau bouillante	8 tasses	2 L
Gros sel (pour marinades)	1 tasse	250 mL
SAUMURE		
Sucre granulé	2 tasses	500 mL
Vinaigre blanc	2 tasses	500 mL
Eau	1^1/$_2$ tasse	375 mL
Épices mélangées pour marinades,	2 c. à soupe	30 mL
nouées dans une étamine double		

Plonger les oignons dans la première quantité d'eau bouillante dans un grand bol. Couvrir et laisser reposer 3 à 4 minutes. Égoutter les oignons et les rincer à l'eau froide, puis les peler.

Délayer le sel dans la seconde quantité d'eau bouillante. Verser l'eau salée sur les oignons. Couvrir et laisser reposer sur le comptoir jusqu'au lendemain. Égoutter. Rincer à l'eau froide et égoutter de nouveau.

Saumure : Combiner les 4 ingrédients dans une grande casserole. Porter à ébullition en remuant souvent et laisser bouillir 5 minutes. Jeter le sachet d'épices. Ajouter les oignons. Porter de nouveau à ébullition. Entasser les oignons dans des bocaux chauds stérilisés en laissant 2,5 cm (1 po) à l'ouverture. Remplir de saumure jusqu'à 6 mm (^{1}/$_4$ po) du couvercle. Sceller les bocaux. Laisser reposer 3 semaines avant de servir. Donne 2 L (4 chopines).

Photo à la page 107.

POIS MANGE-TOUT AU VINAIGRE

Le goût de cette conserve est inattendu. Les pois sont très jolis sur un plateau de condiments.

Gousse d'ail, par chopine	1	1
Brin d'aneth, par chopine	1	1
Pois mange-tout, par chopine	5 oz	140 g
SAUMURE		
Eau	4 tasses	1 L
Vinaigre blanc	2 tasses	500 mL
Gros sel (pour marinades)	5 c. à soupe	75 mL

Mettre une gousse d'ail et un brin d'aneth dans chaque bocal de 500 mL (1 chopine) stérilisé et encore chaud. Y entasser des pois mange-tout en laissant 2,5 cm (1 po) à l'ouverture.

Saumure : Combiner l'eau avec le vinaigre et le sel dans une casserole. Porter à ébullition en remuant jusqu'à ce que le sel soit dissous. Remplir les bocaux de saumure bouillante jusqu'à 6 mm (1/4 po) du couvercle. Sceller les bocaux. Laisser reposer 3 ou 4 semaines avant de servir. La recette donne assez de saumure pour environ 2 L (4 chopines).

Photo à la page 107.

RONDELLES DE CONCOMBRES ÉPICÉES

Ce condiment très relevé et économique accompagne très bien la viande.

Vinaigre blanc	1 tasse	250 mL
Eau	1 tasse	250 mL
Sucre granulé	4 tasses	1 L
Bâtons de cannelle, 7,5 cm (3 po) de longueur	3	3
Clous de girofle entiers	1 c. à thé	5 mL
Colorant alimentaire rouge	1 c. à thé	5 mL
Gros concombres	5 lb	2,27 kg

Combiner les 6 premiers ingrédients dans une grande casserole. Chauffer en remuant de temps en temps jusqu'à ce que le sucre soit dissous.

Couper les concombres en deux sur la largeur. En vider le milieu et jeter les pépins. Peler. Trancher en rondelles de 12 mm (1/2 po) d'épaisseur. Mettre les rondelles de concombre dans la casserole. Porter à ébullition. Laisser mijoter à découvert environ 50 minutes. Remuer plus souvent en début de cuisson, tant que les rondelles ne sont pas entièrement immergées dans le liquide. Mettre les rondelles dans les bocaux à la cuillère, puis les couvrir de liquide jusqu'à 6 mm (1/4 po) du couvercle. Sceller les bocaux. Donne 1 L (2 chopines).

Quand il faut éclaircir les carottes dans le potager, celles que l'on enlève peuvent être employées dans cette recette.

Brin d'aneth, par 500 mL (1 chopine)	1	1
Petite gousse d'ail, par 500 mL **(1 chopine)**	1	1
Petites carottes entières ou carottes **plus grosses, coupées en juliennes,** **pour remplir 500 mL (1 chopine)**		
Gros sel (pour marinades), par **500 mL (1 chopine)**	1 c. à soupe	15 mL
Vinaigre blanc bouillant, par **500 mL (1 chopine)**	¼ tasse	60 mL
Eau bouillante, pour remplir le bocal		

Mettre le brin d'aneth et la gousse d'ail dans un bocal stérilisé et chaud de 500 mL (1 chopine).

Remplir le bocal de carottes en laissant 2,5 cm (1 po) à l'ouverture.

Ajouter le sel et le vinaigre, puis remplir d'eau jusqu'à 6 mm (¼ po) du couvercle. Sceller le bocal. Laisser reposer 6 semaines avant de servir. Préparer autant de bocaux de 500 mL (1 chopine) qu'on le souhaite.

Photo à la page 71.

CORNICHONS À L'ANETH EXTRA

Un nom qui en dit long.

SAUMURE

Eau	12 tasses	2,7 L
Vinaigre blanc (préférablement 7 %)	4 tasses	900 mL
Sucre granulé	1 tasse	250 mL
Gros sel (pour marinades)	1 tasse	250 mL
Épices mélangées pour marinades, nouées dans une étamine double	2 c. à thé	10 mL
Gousse d'ail, par litre (pte)	1	1
Brins d'aneth de 7,5 cm (3 po), avec la tige, par litre (pte)	2	2
Petits concombres	8 lb	3,63 kg

Saumure : Combiner les 5 premiers ingrédients dans une marmite. Porter à ébullition en remuant. Laisser bouillir 3 à 5 minutes.

Entasser l'ail, l'aneth et les concombres dans des bocaux chauds stérilisés en laissant 2,5 cm (1 po) à l'ouverture. Remplir de saumure bouillante jusqu'à 6 mm (¼ po) du couvercle. Sceller les bocaux. Laisser reposer 4 à 5 semaines avant de servir. Donne 8 L (8 pte).

Photo à la page 71.

CORNICHONS À L'ANETH

Cette recette permet de préparer un bocal à la fois.

Brins d'aneth frais, par litre (pte)	2	2
Gousses d'ail, par litre (pte)	1 ou 2	1 ou 2
Petits concombres		
SAUMURE		
Eau	1½ tasse	375 mL
Vinaigre blanc	½ tasse	125 mL
Gros sel (pour marinades)	1½ c. à soupe	22 mL

Mettre les brins d'aneth et l'ail dans un bocal stérilisé et chaud de 1 L (1 pte). Remplir le bocal de concombres en laissant 2,5 cm (1 po) à l'ouverture.

Saumure : Combiner l'eau avec le vinaigre et le sel dans une casserole. Porter à ébullition. Remplir les bocaux de vinaigre bouillant jusqu'à 6 mm (¼ po) du couvercle. Sceller les bocaux. Donne 1 L (1 pte).

Photo sur la couverture.

CORNICHONS À L'ANETH EN QUANTITÉ : Faire la recette en suivant les proportions suivantes : 3,15 L (14 tasses) d'eau, 500 mL (2 tasses) de vinaigre blanc, 250 mL (1 tasse) de gros sel (pour marinades) et 15 mL (1 c. à soupe) d'épices mélangées pour marinades nouées dans une étamine double. Combiner le tout et faire bouillir environ 5 minutes, puis verser sur les concombres dans les bocaux. Mettre 2 brins d'aneth par litre (pte). Laisser reposer 4 semaines avant de servir.

PÊCHES AU VINAIGRE

Ce condiment est joli et appétissant.

Pêches mûres, fermes	4 lb	1,82 kg
Eau bouillante		
Sucre granulé	4 tasses	1 L
Vinaigre blanc	2 tasses	500 mL
Bâtons de cannelle, cassés en	2	2
morceaux		
Clous de girofle entiers	20	20

Plonger les pêches dans l'eau bouillante une à une, en les y laissant pendant 30 secondes. Les passer sous l'eau froide puis les peler. Couper chaque pêche en 4 ou 6 quartiers.

Verser le sucre et le vinaigre dans une casserole. Nouer les épices dans une étamine double et ajouter le sachet au contenu de la casserole. Porter à ébullition. Couvrir. Laisser frémir pendant 5 minutes. Ajouter les pêches. Cuire sous couvert environ 5 minutes de plus, jusqu'à ce que les pêches soient tendres. Jeter le sachet d'épices. Entasser les pêches dans des bocaux chauds stérilisés en laissant 2,5 cm (1 po) à l'ouverture. Remplir les bocaux de sirop jusqu'à 6 mm ($^1/_4$ po) du couvercle. Sceller les bocaux. Donne 2 L (4 chopines).

Photo à la page 107.

HARICOTS À L'ANETH

On peut préparer les haricots un bocal à la fois. Multiplier les quantités proportionnellement pour faire plus de saumure, au besoin.

Haricots verts ou jaunes, par	2 tasses	500 mL
500 mL (1 chopine)		
Eau bouillante		
Brin d'aneth, par 500 mL (1 chopine)	1	1
Gousse d'ail, par 500 mL (1 chopine)	$^1/_2$	$^1/_2$
Vinaigre de cidre	1 tasse	250 mL
Eau	1 tasse	250 mL
Gros sel (pour marinades)	$1^1/_2$ c. à thé	7 mL

Plonger les haricots dans une marmite d'eau bouillante. Porter de nouveau à ébullition. Laisser bouillir 2 minutes. Égoutter et rincer à l'eau froide.

Mettre un morceau d'ail et un brin d'aneth dans chaque bocal de 500 mL (1 chopine) stérilisé et encore chaud. Y entasser les haricots en laissant 2,5 cm (1 po) à l'ouverture.

(suite...)

Combiner l'eau avec le vinaigre et le sel dans une grande casserole. Porter à ébullition en remuant. Remplir les bocaux jusqu'à 6 mm (¹/₄ po) du couvercle. Sceller les bocaux. Préparer autant de bocaux de 500 mL (1 chopine) qu'on le souhaite.

HARICOTS À LA MOUTARDE

Les haricots baignent dans une sauce jaune crémeuse.

Haricots jaunes, coupés en morceaux de 2,5 cm (1 po) de longueur	2 lb	1 kg
Eau bouillante	4 tasses	1 L
Vinaigre blanc	3 tasses	750 mL
Cassonade	1 tasse	250 mL
Sucre granulé	1¹/₄ tasse	300 mL
Farine tout usage	¹/₂ tasse	125 mL
Moutarde en poudre	2 c. à soupe	30 mL
Curcuma	1 c. à soupe	15 mL
Graines de céleri	1 c. à thé	5 mL
Graines de moutarde	¹/₂ c. à thé	2 mL
Sel de table	1 c. à thé	5 mL
Vinaigre blanc	1 tasse	250 mL

Cuire les haricots dans l'eau bouillante jusqu'à ce qu'ils soient tout juste tendres. Bien les égoutter.

Porter la première quantité de vinaigre à ébullition dans une marmite.

Verser les 8 prochains ingrédients dans un bol. Bien remuer. Y incorporer graduellement le reste de vinaigre pour faire une pâte homogène. Incorporer ce mélange au vinaigre en ébullition et chauffer en remuant jusqu'à nouvelle ébullition et épaississement. Ajouter les haricots. Remuer doucement. Porter de nouveau à ébullition. Remplir des bocaux chauds stérilisés jusqu'à 6 mm (¹/₄ po) du couvercle. Sceller les bocaux. Donne 2 L (4 chopines).

Photo à la page 125.

CORNICHONS AU CARI

Ces cornichons sont plus ou moins foncés selon la quantité de cari que l'on y met.

Concombres pelés, tranchés, 1,12 kg (2¹/₂ lb)	8 tasses	2 L
Oignons, tranchés fin	2 tasses	500 mL
Gros sel (pour marinades)	1 c. à soupe	15 mL
Vinaigre blanc	2¹/₂ tasses	625 mL
Sucre granulé	2 tasses	500 mL
Poudre de cari	2 c. à thé	10 mL
Poivre	¹/₄ c. à thé	1 mL

Mettre les concombres, les oignons et le sel dans un grand bol. Remuer. Couvrir et laisser reposer sur le comptoir jusqu'au lendemain. Égoutter. Rincer à l'eau froide. Égoutter de nouveau.

Mêler le vinaigre avec le sucre, le cari et le poivre dans une marmite. Remuer. Porter à ébullition en remuant de temps en temps. Ajouter le mélange de concombres. Porter de nouveau à ébullition. Entasser les légumes dans des bocaux chauds stérilisés en laissant 2,5 cm (1 po) à l'ouverture. Remplir de saumure jusqu'à 6 mm (¹/₄ po) du couvercle. Sceller les bocaux. Donne 1,5 L (3 chopines).

Photo à la page 107.

CORNICHONS DU MILLIONNAIRE

Ces cornichons sont très colorés. La recette peut être doublée sans problème.

Concombres non pelés, tranchés fin	6 tasses	1,5 L
Gros sel (pour marinades)	3 c. à soupe	50 mL
Eau	2 tasses	500 mL
Vinaigre blanc, jusqu'à pratiquement couvrir les concombres		
Oignons, tranchés	2 tasses	500 mL
Petits poivrons verts, épépinés et hachés	2	2
Sucre granulé	3 tasses	750 mL
Curcuma	1 c. à thé	5 mL
Piments doux, hachés	4¹/₂ oz	127 g

(suite...)

Mettre les concombres dans un grand bol.

Délayer le sel dans 500 mL (2 tasses) d'eau jusqu'à ce qu'il soit dissous. Verser le tout sur les concombres. Ajouter de l'eau pour bien les couvrir. Couvrir et laisser reposer sur le comptoir jusqu'au lendemain. Égoutter les concombres et les mettre dans une marmite.

Y ajouter le vinaigre, les oignons, les poivrons, le sucre et le curcuma. Remuer. Chauffer à feu vif, à découvert, en remuant souvent jusqu'à ce que la préparation frémisse.

Incorporer les piments doux. Avec une écumoire ou une passoire, entasser les légumes dans des bocaux chauds stérilisés en laissant 2,5 cm (1 po) à l'ouverture. Remplir de sirop chaud jusqu'à 6 mm ($^1/_4$ po) du couvercle. Sceller les bocaux. Donne 2 L (4 chopines).

Photo sur la couverture.

POIVRONS AU VINAIGRE

Ce condiment ajoute beaucoup de couleur à un assortiment.

Poivrons verts, rouges et jaunes (mélangés)	**3 lb**	**1,36 kg**
SAUMURE		
Vinaigre blanc	**4 tasses**	**900 mL**
Sucre granulé	**2 tasses**	**450 mL**
Gros sel (pour marinades)	**2 c. à thé**	**10 mL**
Eau bouillante		

Couper les poivrons en deux sur la longueur. Les épépiner puis les couper en longues lanières de 12 mm ($^1/_2$ po) de largeur. Les entasser dans des bocaux stérilisés en laissant 2,5 cm (1 po) à l'ouverture, en mettant autant de poivrons des trois couleurs.

Saumure : Combiner le vinaigre avec le sucre et le sel dans une casserole. Remuer. Porter à ébullition.

Verser l'eau bouillante sur les poivrons, dans les bocaux. Laisser reposer 5 minutes. Égoutter. Remplir les bocaux de saumure jusqu'à 6 mm ($^1/_4$ po) du couvercle. Sceller les bocaux. Laisser reposer 3 semaines avant de servir. Donne 2 L (4 chopines).

Photo sur la couverture.

CORNICHONS SUCRÉS TRANCHÉS

C'est le cornichon par excellence avec des sandwiches ou des hamburgers, ou comme accompagnement.

Concombres non pelés, en tranches de 3 mm (¹/₈ po) d'épaisseur	16 tasses	3,6 L
Oignons moyens, tranchés fin	6	6
Gros poivron rouge, épépiné et tranché fin	1	1
Gros poivron vert, épépiné et tranché fin	1	1
Gros sel (pour marinades)	¹/₂ tasse	125 mL
Sucre granulé	5 tasses	1,13 L
Graines de moutarde	2 c. à soupe	30 mL
Curcuma	1 c. à thé	5 mL
Graines de céleri	1¹/₂ c. à thé	7 mL
Vinaigre blanc	3 tasses	675 mL

Mettre les concombres dans un grand bol. Y ajouter les oignons, les poivrons et le sel. Couvrir et laisser reposer sur le comptoir pendant 3 heures. Bien égoutter.

Combiner les 5 derniers ingrédients dans une marmite. Porter à ébullition à feu vif en remuant de temps en temps. Ajouter les légumes. Porter de nouveau à ébullition. Avec une écumoire ou une passoire, entasser les légumes dans des bocaux chauds stérilisés en laissant 2,5 cm (1 po) à l'ouverture. Remplir de sirop chaud jusqu'à 6 mm (¹/₄ po) du couvercle. Sceller les bocaux. Donne 3 à 3,5 L (6 à 7 chopines).

MARINADES SUCRÉES

Cette version rapide est prête à servir en six jours.

Petits concombres de type gherkin	12 tasses	2,7 L
Petits oignons blancs, pelés	4 tasses	900 mL
Tête de chou-fleur moyenne, défaite en petits bouquets	1	1
PREMIÈRE SAUMURE		
Eau froide	5 tasses	1,3 L
Gros sel (pour marinades)	¹/₂ tasse	125 mL
Eau froide, pour couvrir		
SECONDE SAUMURE		
Vinaigre blanc	4 tasses	900 mL
Sucre granulé	4 tasses	900 mL
Graines de céleri	2 c. à soupe	30 mL
Quatre-épices entier	2 c. à soupe	30 mL

(suite...)

Combiner les 3 premiers ingrédients dans un grand bol.

Première saumure : Délayer le sel dans la première quantité d'eau. Verser sur les légumes, pour les couvrir. Faire d'autre saumure au besoin. Laisser reposer 3 jours, en remuant tous les jours. Bien égoutter.

Couvrir les légumes de la seconde quantité d'eau. Laisser reposer 3 jours, en remuant tous les jours. Bien égoutter.

Seconde saumure : Porter les 4 ingrédients à ébullition, en remuant souvent. Y ajouter les légumes. Porter de nouveau au point d'ébullition. Avec une écumoire ou une passoire, entasser les légumes dans des bocaux chauds stérilisés en laissant 2,5 cm (1 po) à l'ouverture. Remplir de saumure jusqu'à 6 mm (¼ po) du couvercle. Sceller les bocaux. Donne 4 L (4 pte).

Photo sur la couverture.

BETTERAVES MARINÉES SUCRÉES

Ces betteraves sont à la fois sucrées et épicées.

Betteraves	2 lb	1 kg
Eau, pour couvrir		
SAUMURE		
Vinaigre blanc	1½ tasse	375 mL
Eau	½ tasse	125 mL
Sucre granulé	2 tasses	500 mL
Sel de table	½ c. à thé	2 mL
Épices mélangées pour marinades, nouées dans une étamine double	1 c. à soupe	15 mL

Cuire les betteraves dans la première quantité d'eau jusqu'à ce quelles soient tendres. Les laisser refroidir jusqu'à pouvoir les manipuler. Les peler et les découper. Les entasser dans des bocaux chauds stérilisés en laissant 2,5 cm (1 po) à l'ouverture.

Saumure : Porter le vinaigre à ébullition avec l'eau, le sucre et le sel, à feu moyen, dans une casserole. Retirer du feu.

Remuer le sachet d'épices dans la saumure pendant 30 secondes. Le retirer. Remplir les bocaux de saumure jusqu'à 6 mm (¼ po) du couvercle. Sceller les bocaux. Réfrigérer avant de servir. Donne 1 L (2 chopines).

CORNICHONS GENRE GHERKIN

Ces cornichons plaisent toujours aux enfants.

Eau	10 tasses	2,25 L
Gros sel (pour marinades)	$^3/_4$ tasse	175 mL
Petits concombres non pelés, aussi petits que possible	8 tasses	1,8 L
SAUMURE		
Sucre granulé	1 $^3/_4$ tasse	400 mL
Eau	1 tasse	225 mL
Vinaigre blanc	3 tasses	675 mL
Épices mélangées pour marinades, nouées dans une étamine double	1 c. à soupe	15 mL

Chauffer l'eau et le sel dans une marmite en remuant jusqu'à ce que le sel soit dissous. Retirer du feu. Laisser refroidir.

Ajouter les concombres. Couvrir et laisser reposer jusqu'au lendemain. Égoutter.

Saumure : Combiner les 4 ingrédients dans une marmite. Porter à ébullition en remuant jusqu'à ce que le sucre soit dissous. Laisser bouillir 10 minutes. Ajouter les concombres. Porter de nouveau à ébullition. Laisser bouillir 2 minutes de plus. Jeter le sachet d'épices. Avec une écumoire ou une passoire, entasser les concombres dans des bocaux chauds stérilisés en laissant 2,5 cm (1 po) à l'ouverture. Remplir de saumure jusqu'à 6 mm ($^1/_4$ po) du couvercle. Sceller les bocaux. Donne 1,5 à 2 L (3 à 4 chopines).

CORNICHONS HOLLANDAIS

Ces jolis cornichons pâles sont appétissants. La recette se double facilement.

Concombres	2 $^1/_2$ lb	1,15 kg
Oignon, grossièrement haché	2 tasses	500 mL
Bouquets de chou-fleur, en bouchées	2 tasses	500 mL
Gros sel (pour marinades)	$^1/_4$ tasse	60 mL
Eau	4 tasses	900 mL
Vinaigre blanc	1 tasse	250 mL
Sucre granulé	1 tasse	250 mL
Graines de moutarde	$^1/_2$ c. à thé	2 mL
Graines de céleri	$^1/_2$ c. à thé	2 mL
Curcuma	$^1/_4$ c. à thé	1 mL

(suite...)

Peler et évider les concombres. Les couper en bouchées et mettre les morceaux dans un grand bol. Ajouter l'oignon, le chou-fleur et le sel. Remuer. Couvrir et laisser reposer sur le comptoir jusqu'au lendemain. Bien égoutter. Mettre les légumes dans une marmite.

Ajouter l'eau. Couvrir. Porter à ébullition à feu vif, en remuant une ou deux fois en cours de cuisson. Cuire 10 minutes. Égoutter.

Combiner les 5 prochains ingrédients dans une autre marmite. Remuer. Porter à ébullition à feu vif. Entasser les légumes dans des bocaux chauds stérilisés en laissant 2,5 cm (1 po) à l'ouverture. Remplir de saumure chaude jusqu'à 6 mm ($^1/_4$ po) du couvercle. Sceller les bocaux. Donne 750 mL (1 $^1/_2$ chopine).

COURGETTES MARINÉES

Une ingénieuse façon d'apprêter les courgettes.

Courgettes non pelées, tranchées fin	6 tasses	1,5 L
Oignons moyens, tranchés fin	2	2
Gros sel (pour marinades)	3 c. à soupe	50 mL
Sucre granulé	2 tasses	500 mL
Graines de moutarde	2 c. à thé	10 mL
Graines de céleri	2 c. à thé	10 mL
Curcuma	1 c. à thé	5 mL
Vinaigre blanc	1 $^1/_4$ tasse	300 mL

Les courgettes ne devraient pas faire plus de 4 cm (1 $^1/_2$ po) de diamètre. Combiner les courgettes, les oignons et le sel dans une marmite. Remuer. Couvrir et laisser reposer sur le comptoir pendant 3 heures. Égoutter.

Ajouter les autres ingrédients. Porter à ébullition à feu vif en remuant souvent. Laisser bouillir 5 minutes à découvert. Remplir des bocaux chauds stérilisés jusqu'à 6 mm ($^1/_4$ po) du couvercle. Sceller les bocaux. Donne 1 L (2 chopines).

Photo à la page 71.

POMMETTES ÉPICÉES

Ce condiment doit sa belle couleur vive au rouge des pommettes.
Quel délice!

Sucre granulé	6 tasses	1,35 L
Eau	2½ tasses	575 mL
Vinaigre blanc	5 tasses	1,13 L
Bâtons de cannelle, cassés en morceaux d'environ 15 cm (6 po) de long	2	2
Clous de girofle entiers	2 c. à thé	10 mL
Pommettes non équeutées, styles ôtés (préférablement des petites pommettes fermes)	7 lb	3,17 kg

Mettre le sucre, l'eau et le vinaigre dans une marmite. Porter à ébullition en remuant. Laisser bouillir 10 minutes.

Nouer la cannelle et les clous de girofle dans une étamine double. Mettre le sachet dans la marmite.Piquer les pommettes pour éviter qu'elles n'éclatent en cuisant. Les mettre dans la marmite, en couches successives. Laisser mijoter sous couvert jusqu'à ce qu'elles soient tendres, environ 8 à 12 minutes. Jeter le sachet d'épices. Entasser les pommettes dans des bocaux chauds stérilisés en laissant 2,5 cm (1 po) à l'ouverture. Remplir de sirop jusqu'à 6 mm (¼ po) du couvercle. Sceller les bocaux. Donne 6 L (6 pte).

1. Gelée de pommes page 46
2. Confiture de fraises simulée page 38
3. Confiture de courgettes et de pêches page 49
4. Marmelade de pêches et d'oranges page 60
5. Sirop à crêpes page 132
6. Sirop aux abricots page 135
7. Sirop aux bleuets page 137
8. Beurre de fraises page 14
9. Gelée de vin page 40

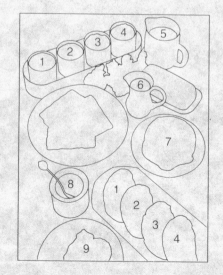

BETTERAVES AU CITRON MARINÉES

Ces betteraves sont différentes des betteraves marinées dont on a l'habitude.

Betteraves avec 2,5 cm (1 po) des fanes	2 lb	1 kg
Eau, pour couvrir		
Sucre granulé	3 tasses	750 mL
Amandes effilées	1 tasse	250 mL
Gingembre moulu	1 c. à soupe	15 mL
Citrons moyens non pelés, en quartiers et tranchés fin	2	2

Cuire les betteraves dans l'eau jusqu'à ce qu'elles soient tendres. Les laisser refroidir dans de l'eau froide jusqu'à pouvoir les manipuler. Les peler, les couper en petits dés et les mettre dans une grande casserole. Il faut 900 mL (4 tasses) de betteraves pour la recette.

Ajouter le sucre, les amandes et le gingembre. Porter à ébullition à feu moyen en remuant souvent. Laisser mijoter doucement pendant 30 minutes, à découvert et en remuant de temps en temps.

Ajouter les citrons. Laisser mijoter 30 minutes de plus, en remuant souvent. Remplir des bocaux chauds stérilisés jusqu'à 6 mm (¼ po) du couvercle. Sceller les bocaux. Donne 1,5 L (3 chopines).

BETTERAVES AU VINAIGRE

Ce condiment ne contient pas d'épices, ce qui ne l'empêche pas d'avoir du mordant.

Betteraves avec 2,5 cm (1 po) des fanes	3 lb	1,36 kg
Eau, pour couvrir		
SAUMURE		
Vinaigre blanc	2 tasses	500 mL
Eau	2 tasses	500 mL
Sucre granulé	1 tasse	250 mL
Sel de table	1 c. à thé	5 mL

Cuire les betteraves dans l'eau jusqu'à ce qu'elles soient tendres. Les laisser refroidir dans l'eau de cuisson jusqu'à pouvoir les manipuler. Dégager la peau avec les doigts. Couper les grosses betteraves en gros morceaux. Entasser les betteraves dans des bocaux chauds stérilisés en laissant 2,5 cm (1 po) à l'ouverture.

Saumure : Pendant que l'eau de cuisson refroidit, combiner le vinaigre, l'eau, le sucre et le sel dans une grande casserole. Porter à ébullition à feu moyen en remuant souvent. Remplir les bocaux de saumure jusqu'à 6 mm (¼ po) du couvercle. Sceller les bocaux. Donne 1,5 L (3 chopines).

MELON D'EAU AU VINAIGRE

Cette marinade baigne dans un sirop épais et bien foncé.

Eau	9 tasses	2,25 L
Gros sel (pour marinades)	½ tasse	125 mL
Boules de melon d'eau (ou morceaux)	11 tasses	2,75 L
Sucre granulé	5 tasses	1,25 L
Bâton de cannelle, cassé en morceaux	1	1
Gingembre moulu	¼ c. à thé	1 mL
Jus de citron, frais ou en bouteille	2 c. à soupe	30 mL
Vinaigre blanc	2½ tasses	625 mL

Délayer le sel dans l'eau dans un grand bol. Y ajouter le melon d'eau. Couvrir et laisser reposer sur le comptoir jusqu'au lendemain. Égoutter. Rincer et égoutter de nouveau.

Combiner les 5 ingrédients suivants dans une marmite. Porter à ébullition à feu moyen en remuant de temps en temps. Ajouter le melon d'eau. Porter de nouveau à ébullition. Réduire la chaleur. Laisser mijoter à découvert pendant 20 minutes. Ôter les morceaux de cannelle. Entasser les morceaux de melon dans des bocaux chauds stérilisés en laissant 2,5 cm (1 po) à l'ouverture. Porter le sirop à pleine ébullition à feu vif. Le laisser bouillir 25 à 30 minutes, en remuant de temps en temps, jusqu'à ce qu'il épaississe. Il ne faut pas poursuivre l'ébullition trop longtemps parce que le sirop risque de caraméliser et de changer de couleur alors qu'il doit épaissir seulement légèrement et prendre une couleur dorée. Remplir les bocaux de sirop jusqu'à 6 mm (¼ po) du couvercle. Sceller les bocaux. Donne 1 L (2 chopines).

Photo à la page 71.

COURGETTES À L'ANETH

Pour les impatients qui ne peuvent attendre la saison des concombres pour faire leurs conserves.

Courgettes non pelées, en tranches de 3 mm (⅛ po) d'épaisseur	8 tasses	2 L
Céleri, tranché	1 tasse	250 mL
Oignons, tranchés	2 tasses	500 mL
Gros sel (pour marinades)	½ tasse	125 mL
Sucre granulé	2 tasses	500 mL
Vinaigre blanc	2 tasses	500 mL

(suite...)

Petite gousse d'ail, par 500 mL (1 chopine)	1	1
Graines de moutarde, par 500 mL (1 chopine)	1 $^1/_2$ c. à thé	7 mL
Brin d'aneth, par 500 mL (1 chopine)	1	1

Mettre les courgettes, le céleri, les oignons et le sel dans une marmite. Remuer. Laisser reposer 2 heures. Bien égoutter.

Chauffer le sucre et le vinaigre dans une marmite en remuant jusqu'à ce que le sucre soit dissous. Y ajouter les légumes. Porter à ébullition, en remuant de temps en temps.

Mettre des graines de moutarde, une gousse d'ail et un brin d'aneth dans chaque bocal stérilisé chaud de 500 mL (1 chopine). Y entasser les légumes en laissant 2,5 cm (1 po) à l'ouverture. Remplir de saumure jusqu'à 6 mm ($^1/_4$ po) du couvercle. Sceller les bocaux. Donne 1,5 L (3 chopines).

CORNICHONS SUCRÉS À L'ANETH

Un cornichon sucré, mais qui est aussi à l'aneth.

Brins d'aneth, par litre (pte)	2	2
Gousses d'ail, par litre (pte)	2	2
Concombres non pelés, tranchés plutôt épais	1 pte	1 L
SAUMURE		
Vinaigre blanc	3 tasses	675 mL
Eau	3 tasses	675 mL
Sucre granulé	4 $^1/_2$ tasses	1 L
Gros sel (pour marinades)	3 c. à soupe	50 mL

Mettre 1 brin d'aneth et 1 gousse d'ail dans un bocal stérilisé chaud de 1 L (1 pte). Remplir de concombres en laissant 2,5 cm (1 po) à l'ouverture. Ajouter le second brin d'aneth et l'autre gousse d'ail. Préparer ainsi 4 bocaux de 1 L (1 pte).

Saumure : Combiner tous les ingrédients dans une casserole. Porter à ébullition en remuant souvent. Remplir les bocaux de saumure jusqu'à 6 mm ($^1/_4$ po) du couvercle. Sceller les bocaux. Laisser reposer 2 à 3 semaines avant de servir. Donne assez de saumure pour 4 bocaux de 1 L (1 pte).

Photo à la page 35.

CANTALOUP AU VINAIGRE

Un condiment peu ordinaire, à servir le midi.

Gros cantaloups	3	3
Sucre granulé	3 tasses	750 mL
Vinaigre blanc	2 tasses	500 mL
Sel de table	1 c. à thé	5 mL
Bâtons de cannelle, cassés en morceaux	2	2
Clous de girofle entiers	1 c. à thé	5 mL

Couper les cantaloups en deux. En ôter les pépins. Dégager la chair en boules ou peler les cantaloups et couper la chair en gros morceaux.

Combiner le sucre, le vinaigre et le sel dans une marmite. Nouer la cannelle et les clous de girofle dans une étamine double. Ajouter ce sachet au mélange de vinaigre. Porter à ébullition à feu vif, en remuant souvent. Ajouter les morceaux de cantaloup. Porter de nouveau à ébullition. Réduire la chaleur. Laisser mijoter à découvert pendant 45 à 60 minutes, en remuant de temps en temps, jusqu'à ce que le cantaloup soit translucide. Jeter le sachet d'épices. Entasser le cantaloup dans des bocaux chauds stérilisés en laissant 2,5 cm (1 po) à l'ouverture. Remplir de sirop jusqu'à 6 mm ($1/4$ po) du couvercle. Sceller les bocaux. Donne 750 mL (3 demiards).

CERISES AU VINAIGRE

Ce condiment assez peu ordinaire attire l'attention à tous les coups.

Cerises non équeutées, environ 900 g (2 lb)	8 tasses	1,8 L
Vinaigre blanc	$2^{1}/_{4}$ tasses	500 mL
Eau	$2^{1}/_{4}$ tasses	500 mL
Sucre granulé	6 c. à soupe	100 mL
Gros sel (pour marinades)	3 c. à soupe	50 mL

Entasser les cerises dans des bocaux chauds stérilisés en laissant 2,5 cm (1 po) à l'ouverture.

Combiner les 4 prochains ingrédients dans une casserole. Remuer. Porter à ébullition à feu vif en remuant souvent. Remplir les bocaux de sirop jusqu'à 6 mm ($1/4$ po) du couvercle. Sceller les bocaux. Laisser reposer 2 semaines avant de servir. Donne 2 L (4 chopines).

Photo sur la couverture.

CITROUILLE AU VINAIGRE

Ce condiment inhabituel est savoureux et coloré.

Citrouille pelée, vidée, coupée en carrés de 2,5 cm (1 po)	4 lb	1,82 kg
Sucre granulé	4$^1/_2$ tasses	1,13 L
Vinaigre blanc	2 tasses	500 mL
Eau	2 tasses	500 mL
Citron, tranché fin	$^1/_2$	$^1/_2$
Bâton de cannelle, cassé en morceaux	1	1
Clous de girofle entiers	8	8
Quatre-épices entiers	8	8

Combiner les 4 premiers ingrédients dans une marmite.

Nouer le citron, les morceaux de cannelle, les clous de girofle et le quatre-épice dans une étamine double. Ajouter ce sachet au mélange de citrouille. Chauffer en remuant jusqu'à ce que le sucre soit dissous. Porter à ébullition. Laisser mijoter à découvert environ 20 minutes, en remuant de temps en temps, jusqu'à ce que la citrouille soit tendre. Jeter le sachet d'épices. Entasser la citrouille dans des bocaux chauds stérilisés en laissant 2,5 cm (1 po) à l'ouverture. Remplir les bocaux de sirop jusqu'à 6 mm ($^1/_4$ po) du couvercle. Sceller les bocaux. Donne 2 L (4 chopines).

Photo sur la couverture.

RAISINS AU VINAIGRE

Un condiment inusité, à servir les jours où l'humeur est à l'exotisme.

Eau	1 tasse	250 mL
Vinaigre blanc	1 tasse	250 mL
Sucre granulé	1 tasse	250 mL
Raisins sans pépins	1$^1/_2$ lb	680 g

Combiner les 3 premiers ingrédients dans une casserole. Chauffer en remuant jusqu'à ce que le sucre soit dissous. Porter à ébullition.

Défaire les raisins des grappes. Les entasser dans des bocaux. Remplir les bocaux de sirop. Laisser refroidir. Réfrigérer 2 ou 3 jours avant de servir. Donne 1 L (2 chopines).

CORNICHONS EN TONNEAU

Voici une méthode merveilleusement simple de préparer des cornichons.

Sucre granulé	4 tasses	1 L
Vinaigre blanc	2 tasses	500 mL
Gros sel (pour marinades)	2 c. à soupe	30 mL
Curcuma	1 c. à thé	5 mL
Graines de céleri	1 c. à thé	5 mL
Graines de moutarde	1 c. à thé	5 mL
Gros poivron rouge, épépiné, tranché	1	1
Gros poivron vert, épépiné, tranché	1	1
Gros oignon espagnol, tranché	1	1
Concombres non pelés, tranchés fin	5	5

Combiner les 6 premiers ingrédients dans une glacière de 4 L (4 pte). Remuer.

Ajouter les poivrons et l'oignon, puis ajouter des concombres jusqu'à remplir la glacière au niveau du liquide. Laisser reposer 2 heures. Remuer. Comme les concombres se tassent, il sera peut-être possible d'en ajouter quelques tranches après le temps de repos. Couvrir. Se conservent au réfrigérateur pendant environ 6 mois. Donne quelque 2,5 L (2 1/2 pte).

Photo à la page 107.

CORNICHONS AU CONGÉLATEUR

Ces cornichons sont savoureux et colorés, et ils restent croquants!

Concombres, tranchés	7 tasses	1,75 L
Gros oignon, tranché	1	1
Poivrons, épépinés et tranchés fin	1 tasse	250 mL
tous verts ou moitié rouges		
Gros sel (pour marinades)	1 c. à soupe	15 mL
Graines de céleri	1/2 c. à thé	2 mL
Vinaigre blanc	1 tasse	250 mL
Sucre granulé	2 tasses	500 mL

Combiner tous les ingrédients dans un bol. Bien remuer. Couvrir. Réfrigérer pendant 3 jours, en remuant tous les jours. Entasser les concombres dans des récipients destinés au congélateur, en les couvrant de saumure jusqu'à 2,5 cm (1 po) de l'ouverture. Congeler. Dégeler avant de servir. Se conservent au réfrigérateur au moins 8 semaines et au congélateur au moins 1 an. Donne 1,5 L (3 chopines).

CORNICHONS COLORÉS

Ces cornichons sont à base de cornichons.

Cornichons à l'aneth, tranchés, non sucrés	2 tasses	500 mL
Piments doux, tranchés	$^1/_2$ tasse	125 mL
Vinaigre blanc	$^2/_3$ tasse	150 mL
Eau	$^1/_3$ tasse	75 mL
Sucre granulé	1 tasse	250 mL
Huile de cuisson	1 c. à soupe	15 mL

Combiner les cornichons et les piments doux dans un bol.

Porter les 4 prochains ingrédients à ébullition à feu vif dans une casserole, en remuant de temps en temps. Verser ce liquide sur les cornichons. Laisser refroidir à la température de la pièce. Couvrir et conserver au réfrigérateur. Laisser reposer jusqu'à 1 semaine avant de servir. Se conservent au moins 8 semaines au réfrigérateur. Donne 750 mL ($1^1/_2$ chopine).

CORNICHONS SANS CUISSON

Ces cornichons sont croquants. Cette recette est appelée à être doublée.

Concombres non pelés, tranchés fin	10 tasses	2,5 L
Oignons, tranchés fin	2 tasses	500 mL
SAUMURE		
Sucre granulé	2 tasses	500 mL
Vinaigre blanc	1 tasse	250 mL
Gros sel (pour marinades)	2 c. à soupe	30 mL
Graines de céleri	1 c. à thé	5 mL
Curcuma	1 c. à thé	5 mL

Combiner les concombres et les oignons dans un bol.

Saumure : Verser les 5 prochains ingrédients dans une casserole. Porter à ébullition à feu vif en remuant souvent. Laisser bouillir 3 minutes. Verser la saumure sur les concombres. Bien remuer. Laisser refroidir à la température de la pièce. Laisser reposer jusqu'à 2 à 3 jours au réfrigérateur avant de servir. Se conservent au moins 8 semaines au réfrigérateur, dans des récipients hermétiques. Donne 2 L (4 chopines).

HARICOTS À LA MOUTARDE RAPIDES

Ces haricots sont prêts à déguster le lendemain du jour où on les prépare.
La recette est à base de haricots en conserve.

Sucre granulé	1 1/4 tasse	300 mL
Farine tout usage	1/4 tasse	60 mL
Moutarde en poudre	2 c. à soupe	30 mL
Curcuma	1 c. à thé	5 mL
Graines de céleri	1 c. à thé	5 mL
Vinaigre blanc	1 1/2 tasse	375 mL
Haricots jaunes coupés, en conserve, égouttés (voir remarque)	3 × 14 oz	3 × 398 mL

Combiner les 5 premiers ingrédients dans une casserole moyenne. Bien remuer.

Ajouter le vinaigre et remuer. Porter à ébullition à feu moyen en remuant jusqu'à épaississement.

Ajouter les haricots. Remuer un peu. Verser dans un contenant. Laisser refroidir à la température de la pièce. Couvrir et laisser reposer au réfrigérateur au moins 24 heures avant de servir. Se conservent au moins 8 semaines au réfrigérateur. Donne environ 1,5 L (3 chopines).

Remarque : On peut substituer environ 1 L (4 tasses) de haricots frais cuits aux haricots en conserve.

CORNICHONS À L'ANETH SUCRÉS

Cette méthode simple permet de transformer un cornichon acheté au magasin en un délicieux cornichon fait maison.

Cornichons à l'aneth entiers, égouttés, coupés en deux sur la longueur et la largeur	32 oz	1 L
Sucre granulé	2 tasses	450 mL
Vinaigre blanc	1/2 tasse	125 mL
Graines de céleri	1 c. à soupe	15 mL
Graines de moutarde	1 c. à soupe	15 mL
Clous de girofle entiers	3	3

Combiner tous les ingrédients dans un bol. On peut trancher les cornichons au lieu de les couper en quatre. Remuer. Laisser reposer 10 minutes. Entreposer au réfrigérateur, sous couvert. Remuer les cornichons 2 ou 3 fois pendant qu'ils macèrent dans le bol. Au bout de 3 jours, les remettre dans le bocal d'origine. Se conservent au moins 8 semaines au réfrigérateur. Donne 1 L (32 oz).

LÉGUMES D'ÉTÉ AU VINAIGRE

Cette marinade légèrement colorée est croquante et savoureuse. Pour en changer l'apparence, on peut peler les courgettes.

Courgettes, pelées, tranchées fin	5 tasses	1,25 L
Carottes, tranchées fin	1/2 tasse	125 mL
Oignons, tranchés fin	1/2 tasse	125 mL
Céleri, tranché	1/2 tasse	125 mL
Gros sel (pour marinades)	3 c. à soupe	50 mL
Eau	1 tasse	250 mL
Vinaigre de cidre	1 tasse	250 mL
Sucre granulé	1 tasse	250 mL
Piments doux, hachés	2 c. à soupe	30 mL

Combiner les 5 premiers ingrédients dans un bol. Remuer. Laisser reposer 45 minutes. Égoutter. Rincer et égoutter de nouveau.

Mettre l'eau, le vinaigre et le sucre dans une casserole. Porter à ébullition à feu vif en remuant. Verser la saumure sur les légumes. Laisser refroidir à la température de la pièce.

Incorporer les piments doux. Répartir les légumes dans les récipients. Couvrir et réfrigérer. Laisser reposer 2 à 3 jours avant de servir. Se conservent au moins 8 semaines au réfrigérateur. Donne largement 1,25 L (2 1/2 chopines).

CORNICHONS À L'AIL

Ces cornichons ont un goût inattendu. Ils sont sucrés et savoureux.

Cornichons à l'aneth non sucrés, égouttés, tranchés	32 oz	1 L
Sucre granulé	2 1/2 tasses	625 mL
Épices mélangées pour marinades, nouées dans une étamine double	2 c. à soupe	30 mL
Gousses d'ail	3	3

Mettre les cornichons dans un bol. Ajouter le sucre, les épices pour marinades et l'ail. Remuer. Couvrir. Laisser reposer 1 journée. Remuer. Couvrir. Laisser reposer une deuxième journée entière. Remuer de nouveau le troisième jour. Jeter l'ail et le sachet d'épices. Remettre les cornichons dans leur bocal d'origine. Laisser reposer sous couvert 2 ou 3 jours avant de servir. Se conservent au moins 4 semaines au réfrigérateur. Donne 1 bocal de 1 L (32 oz).

Photo à la page 107.

BETTERAVES MARINÉES RAPIDES

Ces betteraves se préparent pratiquement toutes seules. Il suffit de laisser des betteraves en conserve macérer pendant un ou deux jours puis de les servir. La variante est à essayer.

Betteraves en conserve, égouttées, jus réservé (voir remarque)	2 × 14 oz	2 × 398 mL
Jus des betteraves	1 tasse	250 mL
Vinaigre blanc	1 tasse	250 mL
Sucre granulé	1/2 tasse	125 mL
Sel de table	1/2 c. à thé	2 mL

Couper les grosses betteraves, mais laisser les petites entières. Les mettre dans un bocal.

Combiner le jus des betteraves, le vinaigre, le sucre et le sel dans un récipient. Remuer jusqu'à ce que le sucre soit dissous. Verser sur les betteraves. Couvrir. Réfrigérer 1 ou 2 jours avant de servir. Se conservent au moins 4 semaines au réfrigérateur. Donne 1 L (1 pte).

BETTERAVES MARINÉES ÉPICÉES : Ajouter 125 mL (1/2 tasse) de sucre et 15 mL (1 c. à soupe) d'épices mélangées pour marinades nouées dans une double étamine. Laisser bouillir 5 minutes à feu moyen. Jeter le sachet d'épices. Verser la saumure sur les betteraves. Réfrigérer 1 ou 2 jours avant de servir. Se conservent au moins 4 semaines au réfrigérateur.

Remarque : On peut remplacer les betteraves en conserve par environ 800 mL (3 1/2 tasses) de betteraves fraîches, cuites.

ŒUFS MARINÉS AUX POIVRONS

Cette marinade contient des œufs et des poivrons de couleur. Un joli condiment à servir dans les grandes occasions. Plus les œufs sont petits, plus on obtient de portions.

Gros œufs durs, écalés	12	12
Poivron jaune, épépiné et coupé en lanières	1	1
Poivron rouge, épépiné et coupé en lanières	1	1
Poivron vert, épépiné et coupé en lanières	1	1
Gros oignon, coupé en rondelles	1	1
SAUMURE		
Vinaigre blanc	2 tasses	500 mL
Eau	1 tasse	250 mL
Sucre granulé	1/4 tasse	60 mL
Clous de girofle, noués dans une étamine double	8 à 10	8 à 10
Sel de table	1 c. à thé	5 mL

(suite...)

Mettre quelques œufs dans un bocal de 2 L (2 pte), puis y ajouter des morceaux de poivron et d'oignon. Alterner les poivrons pour faire de la couleur.

Saumure : Porter les 5 ingrédients à ébullition dans une casserole, à feu vif, en remuant souvent. Laisser bouillir 5 minutes. Jeter le sachet d'épices. Verser la saumure sur les œufs jusqu'à les couvrir complètement. Couvrir et conserver au réfrigérateur 4 jours ou plus avant de servir. Se conservent au moins 6 mois au réfrigérateur. Donne 2 L (2 pte).

Photo à la page 107.

ŒUFS MARINÉS SUCRÉS

Ces œufs sont assaisonnés avec un soupçon d'épices pour marinades. Ils se conservent au moins six mois au réfrigérateur.

Gros œufs durs, écalés	12	12
Eau froide, pour couvrir		
Gros oignon, coupé en rondelles	1	1
SAUMURE		
Vinaigre blanc	2 tasses	500 mL
Eau	2 tasses	500 mL
Sucre granulé	$1/2$ tasse	125 mL
Sel de table	1 c. à thé	5 mL
Épices mélangées pour marinades, nouées dans une étamine double	1 c. à soupe	15 mL

Couvrir les œufs d'eau dans une grande casserole. Couvrir. Porter à ébullition à feu vif. Laisser frémir 10 minutes. Égoutter. Rincer les œufs à l'eau froide pour les refroidir. Les écaler.

Entasser les œufs et les rondelles d'oignon en couches successives dans un bocal de 2 L (2 pte) jusqu'à 2,5 cm (1 po) de l'ouverture.

Saumure : Combiner le vinaigre, l'eau, le sucre et le sel dans une casserole. Chauffer à feu moyen en remuant jusqu'à ce que le sucre soit dissous. Porter à ébullition. Retirer du feu.

Ajouter les épices pour marinades. Remuer pendant 30 secondes. Jeter le sachet d'épices. Remplir le bocal de saumure jusqu'à 6 mm ($1/4$ po) du couvercle. Sceller le bocal. Laisser reposer 1 à 2 semaines au réfrigérateur avant de servir. Servir frais. Pour faire plus de portions, se servir d'œufs plus petits. Donne 2 L (2 pte).

BETTERAVES ET CHOU MARINÉS

Cette marinade contient juste ce qu'il faut de raifort. Elle accompagne très bien le bœuf.

Betteraves fraîches, cuites, hachées (voir remarque)	1 tasse	250 mL
Chou haché, tassé	1 tasse	250 mL
Sucre granulé	1/2 tasse	125 mL
Raifort commercial	1/4 tasse	60 mL
Sel de table	3/4 c. à thé	4 mL
Poivre	1/4 c. à thé	1 mL
Vinaigre blanc	1 c. à soupe	15 mL

Combiner tous les ingrédients dans un bol. Bien remuer. On peut ajouter plus de vinaigre immédiatement ou attendre après la macération, au goût. Verser le tout dans un bocal. Couvrir et laisser reposer au réfrigérateur pendant 2 jours avant de servir. Servir chaud ou froid avec du bœuf. Se conserve au moins 4 semaines. Donne environ 500 mL (1 chopine).

Remarque : On peut substituer 398 mL (14 oz) de betteraves en conserve aux betteraves fraîches.

GARNITURE DE TARTE AUX CERISES

Au goût, cette garniture ressemble à s'y méprendre à des cerises fraîches.

Cerises, dénoyautées	8 tasses	2 L
Eau	2 tasses	500 mL
Sucre granulé	2 tasses	500 mL
Tapioca à cuisson rapide	6 c. à soupe	100 mL
Essence d'amande	1/2 c. à thé	2 mL

Combiner les 5 ingrédients dans une marmite. Porter à ébullition en remuant à feu vif. Entasser les cerises dans des bocaux de 1 L (1 pte) chauds stérilisés en laissant 2,5 cm (1 po) à l'ouverture. Remplir de jus jusqu'à 12 mm (1/2 po) du couvercle. Sceller les bocaux. Conditionner dans un bain d'eau chaude pendant 25 minutes. Donne 2 L (2 pte), soit assez de garniture pour deux tartes de 22 cm (9 po).

MINCEMEAT AUX FRUITS

Cette recette simple permet de faire soi-même son mincemeat. Servir la mincepie chaude avec de la crème glacée ou garnie de tranches de cheddar mi-fort.

Graisse ou suif de bœuf haché, environ 500 mL (2 tasses)	8 oz	250 g
Cassonade, tassée	3 tasses	750 mL
Pommes surettes, pelées, épépinées et hachées	5 tasses	1,25 L
Raisins secs	2 tasses	500 mL
Raisins de corinthe	2 tasses	500 mL
Mélange d'écorces confites hachées, environ 350 mL (1 1/2 tasse)	8 oz	250 g
Vinaigre blanc	1/2 tasse	125 mL
Cannelle moulue	1 c. à thé	5 mL
Muscade	1 c. à thé	5 mL
Clous de girofle moulus	1/4 c. à thé	1 mL
Sel de table	1/2 c. à thé	2 mL
Raisins secs	1 tasse	250 mL
Raisins de corinthe	1 tasse	250 mL

Mêler les 11 premiers ingrédients dans un grand récipient. Passer le tout au hachoir ou au robot.

Incorporer les dernières quantités de raisins secs et de raisins de corinthe qui peuvent être broyés avec le reste, mais le mincemeat fait maison ressemble davantage à la préparation commerciale si on y met quelques fruits entiers. Couvrir. Réfrigérer et laisser reposer 2 ou 3 jours pour adoucir le goût. Le mincemeat se conserve un an au réfrigérateur. On peut également le congeler ou le porter à ébullition puis le conserver dans des bocaux, chauds, stérilisés et hermétiques. Donne 2 L (4 chopines).

MINCEPIE : Pour une tarte de 22 cm (9 po), prévoir 450 mL (2 tasses) de mincemeat, 175 mL (3/4 tasse) de compote de pommes et 25 mL (1 1/2 c. à soupe) de tapioca à cuisson rapide. Cuire sur la plus basse grille du four à 400 °F (200 °C) pendant 30 à 35 minutes, jusqu'à ce que la tarte soit dorée.

MINCEMEAT AUX POIRES

Ce mincemeat qui sort un peu de l'habituel est à essayer quand les poires sont abondantes. Il est particulièrement délicieux.

Sucre granulé	6 tasses	1,5 L
Cannelle moulue	1 c. à thé	5 mL
Quatre-épices moulu	1 c. à thé	5 mL
Clous de girofle moulus	1 c. à thé	5 mL
Sel de table	1 c. à thé	5 mL
Poires, pelées et épépinées	8 lb	3,63 kg
Orange non pelée, en quartiers, épépinée	1	1
Citron non pelé, en quartiers, épépiné	1	1
Pomme surette, pelée et épépinée	1	1
Jus de raisin (mauve)	1 tasse	250 mL
Vinaigre de cidre	1 tasse	250 mL
Raisins secs	3 tasses	750 mL
Raisins de corinthe	3 $\frac{1}{3}$ tasses	825 mL

Combiner les 5 premiers ingrédients dans une marmite. Remuer.

Broyer les 4 prochains ingrédients et les ajouter au contenu de la marmite. Bien remuer.

Ajouter les autres ingrédients. Porter à ébullition à feu moyen en remuant souvent. Laisser mijoter à découvert jusqu'à épaississement. Remplir des bocaux chauds stérilisés jusqu'à 6 mm (¼ po) du couvercle. Sceller les bocaux. On peut aussi congeler le mincemeat ou le conserver, pendant au moins 1 an, au réfrigérateur. Donne 3 L (6 chopines).

MINCEPIE AUX POIRES : Pour une tarte de 22 cm (9 po), prévoir 500 mL (2 tasses) de mincemeat aux poires, 175 mL (¾ tasse) de compote de pommes et 25 mL (1½ c. à soupe) de tapioca à cuisson rapide. Cuire sur la plus basse grille du four à 400 °F (200 °C) pendant 30 à 35 minutes, jusqu'à ce que la tarte soit dorée.

MINCEMEAT AUX TOMATES VERTES

Cette excellente garniture est aussi une ingénieuse façon d'apprêter des tomates vertes. Elle se conserve des mois au réfrigérateur, ou tout simplement au congélateur.

Tomates vertes, hachées fin, environ 1,5 kg (2 1/2 lb)	10 tasses	2,25 L
Eau, pour couvrir		
Pommes, pelées, épépinées et hachées	5 tasses	1,25 L
Graisse ou suif de bœuf	2 tasses	500 mL
Raisins secs	2 tasses	500 mL
Raisins de corinthe	1 tasse	250 mL
Mélange d'écorces confites hachées	3 tasses	700 mL
Sucre granulé	3 tasses	700 mL
Cassonade, tassée	3 tasses	700 mL
Cannelle moulue	1 c. à soupe	15 mL
Muscade	1 c. à soupe	15 mL
Clous de girofle moulus	1 c. à thé	5 mL
Quatre-épices moulu	1 c. à thé	5 mL
Sel de table	1 c. à thé	5 mL
Vinaigre blanc	1/2 tasse	125 mL

Combiner les tomates et l'eau dans une marmite. Porter à ébullition en remuant souvent. Laisser frémir pendant 30 minutes. Égoutter.

Ajouter les 7 ingrédients suivants. Porter à ébullition. Laisser frémir jusqu'à épaississement, environ 2 heures. Remuer souvent pour empêcher d'attacher.

Incorporer les 6 derniers ingrédients. Remplir des bocaux chauds stérilisés jusqu'à 6 mm (1/4 po) du couvercle. Sceller les bocaux. On peut aussi laisser la préparation refroidir et la congeler ou la conserver pendant des mois au réfrigérateur. Donne environ 2,5 L (5 chopines).

MINCEPIE AUX TOMATES VERTES : Pour une tarte de 22 cm (9 po), prévoir 500 mL (2 tasses) de mincemeat, 175 mL (3/4 tasse) de compote de pommes et 25 mL (1 1/2 c. à soupe) de tapioca à cuisson rapide. Cuire sur la plus basse grille du four à 400 °F (200 °C) pendant 30 à 35 minutes, jusqu'à ce que la tarte soit dorée.

GARNITURE DE TARTE AUX POMMES

Et voici ce qu'on fait avec des pommes quand le congélateur est déjà plein à craquer. La garniture se conserve sur la tablette.

Pommes pelées, épépinées et hachées	**5 tasses**	**1,25 L**
Sucre granulé	**1 tasse**	**250 mL**
Tapioca à cuisson rapide	**2 c. à soupe**	**30 mL**
Cannelle moulue	**¹/₂ c. à thé**	**2 mL**
Jus de citron, frais ou en bouteille (facultatif)	**1 c. à thé**	**5 mL**

Combiner les pommes et le sucre dans une marmite. Remuer. Laisser reposer jusqu'à ce que les pommes commencent à rendre du jus. Porter à ébullition à feu vif en remuant. Laisser bouillir vivement pendant 1 minute.

Incorporer le tapioca, la cannelle et le jus de citron. Laisser bouillir vivement pendant 1 minute de plus. Entasser dans des bocaux chauds stérilisés jusqu'à 12 mm (¹/₂ po) du couvercle. Sceller les bocaux. Conditionner dans un bain d'eau chaude pendant 20 minutes. Remplir autant de bocaux qu'on le souhaite. Donne 1 L (1 pte), soit assez de garniture pour une tarte de 22 cm (9 po).

Photo à la page 71.

1. Cornichons en tonneau page 96
2. Trio de légumes marinés page 73
3. Pois mange-tout au vinaigre page 76
4. Cornichons sucrés à la moutarde page 74
5. Œufs marinés aux poivrons page 100
6. Relish de betteraves page 127
7. Ail au vinaigre page 65
8. Relish de pommes page 123
9. Papayes marinées page 65
10. Cornichons à l'ail page 99
11. Pêches au vinaigre page 80
12. Chow chow des Maritimes page 69
13. Pommettes fraîches
14. Oignons au vinaigre page 75
15. Relish du millionnaire page 129
16. Betteraves marinées page 66
17. Cornichons au cari page 82

MISE EN CONSERVE SOUS PRESSION

On considère que la mise en conserve sous pression est la seule méthode sûre de préserver les viandes et les légumes. Les autres méthodes sont trop risquées. Comme la fraîcheur des aliments est de toute première importance lorsque l'on fait des conserves, on choisira des légumes frais, jeunes et tendres et pour les viandes, de bonnes coupes. La pression en livres et la durée de cuisson sont précisées dans chaque recette. Par contre, il faut toujours vérifier les instructions du fabricant de l'autoclave.

LÉGUMES

Le congélateur déborde? Voilà l'occasion de faire des conserves.

ASPERGES : Ôter les bouts fibreux des asperges fraîches. Les couper pour qu'elles ne dépassent pas des bocaux. Les entasser dans les bocaux, avec les pointes dressées, en laissant 2,5 cm (1 po) à l'ouverture. On peut aussi couper les asperges en morceaux courts et les mettre ainsi dans les bocaux. Ajouter 2 mL ($\frac{1}{2}$ c. à thé) de gros sel (pour marinades) par 500 mL (1 chopine) ou 5 mL (1 c. à thé) par 1 L (1 pte). Remplir d'eau bouillante jusqu'à 2,5 cm (1 po) du couvercle. Bien visser les couvercles. Cuire à l'autoclave, à une pression de 10 livres, pendant 30 minutes pour les bocaux de 500 mL (1 chopine) et 35 minutes pour ceux de 1 L (1 pte).

HARICOTS : Ôter les extrémités de haricots verts ou jaunes frais. Les couper en morceaux de 2,5 cm (1 po) de long, les laisser entiers ou les trancher sur la longueur. Les mettre dans des bocaux en laissant 2,5 cm (1 po) à l'ouverture. Ajouter 2 mL ($\frac{1}{2}$ c. à thé) de gros sel (pour marinades) par 500 mL (1 chopine) ou 5 mL (1 c. à thé) par 1 L (1 pte). Remplir d'eau bouillante jusqu'à 2,5 cm (1 po) du couvercle. Bien visser les couvercles. Cuire à l'autoclave, à une pression de 10 livres, pendant 20 minutes pour les bocaux de 500 mL (1 chopine) et 25 minutes pour ceux de 1 L (1 pte).

BETTERAVES : Mettre les betteraves avec 5 cm (2 po) de fanes dans une marmite et les couvrir d'eau. Les cuire 20 à 25 minutes pour que la peau se dégage aisément sous l'eau froide. Entasser les betteraves chaudes dans des bocaux en laissant 2,5 cm (1 po) à l'ouverture. Ajouter 2 mL ($\frac{1}{2}$ c. à thé) de gros sel (pour marinades) par 500 mL (1 chopine) ou 5 mL (1 c. à thé) par 1 L (1 pte). Remplir d'eau bouillante jusqu'à 2,5 cm (1 po) du couvercle. Bien visser les couvercles. Cuire à l'autoclave, à une pression de 10 livres, pendant 30 minutes pour les bocaux de 500 mL (1 chopine) et 35 minutes pour ceux de 1 L (1 pte).

(suite...)

CAROTTES : Brosser des jeunes carottes tendres avec un tampon récureur en plastique. Les entasser dans les bocaux jusqu'à 2,5 cm (1 po) à l'ouverture. Ajouter 2 mL ($\frac{1}{2}$ c. à thé) de gros sel (pour marinades) par 500 mL (1 chopine) ou 5 mL (1 c. à thé) par 1 L (1 pte). Remplir d'eau bouillante jusqu'à 2,5 cm (1 po) du couvercle. Bien visser les couvercles. Cuire à l'autoclave, à une pression de 10 livres, pendant 30 minutes pour les bocaux de 500 mL (1 chopine) et 35 minutes pour ceux de 1 L (1 pte).

MAÏS EN CRÈME : Avec un couteau bien affûté, égrener des épis de maïs mûrs frais en tranchant les grains au milieu, le long de l'épi. Avec l'autre côté de la lame du couteau ou avec un couteau à beurre, racler les épis pour en faire sortir le jus blanc, ou «crème». Mettre le tout dans les bocaux en laissant 2,5 cm (1 po) à l'ouverture. Ajouter 2 mL ($\frac{1}{2}$ c. à thé) de gros sel (pour marinades), de sucre granulé et de jus de citron par 500 mL (1 chopine). Remplir d'eau bouillante jusqu'à 2,5 cm (1 po) du couvercle. Bien visser les couvercles. Cuire à l'autoclave, à une pression de 10 livres, pendant 85 minutes pour les bocaux de 500 mL (1 chopine).

MAÏS EN GRAINS : Égrener des épis de maïs mûrs frais. Couper les grains assez près des épis, mais pas trop pour ne pas dégager les enveloppes. Mettre les grains dans les bocaux en laissant 2,5 cm (1 po) à l'ouverture. Ajouter 2 mL ($\frac{1}{2}$ c. à thé) de gros sel (pour marinades) par 500 mL (1 chopine). Remplir d'eau bouillante jusqu'à 2,5 cm (1 po) du couvercle. Bien visser les couvercles. Cuire à l'autoclave, à une pression de 10 livres, pendant 55 minutes pour les bocaux de 500 mL (1 chopine) et 85 minutes pour ceux de 1 L (1 pte).

PETITS POIS : Remplir les bocaux de jeunes pois tendres en laissant 2,5 cm (1 po) à l'ouverture. Ajouter 2 mL ($\frac{1}{2}$ c. à thé) de gros sel (pour marinades) et de sucre par 500 mL (1 chopine) ou 5 mL (1 c. à thé) de gros sel (pour marinades) et de sucre par 1 L (1 pte). Remplir d'eau bouillante jusqu'à 2,5 cm (1 po) du couvercle. Bien visser les couvercles. Cuire à l'autoclave, à une pression de 10 livres, pendant 40 minutes pour les bocaux de 500 mL (1 chopine) et 45 minutes pour ceux de 1 L (1 pte).

GALETTES DE BŒUF HACHÉ

Une fois préparées, il suffit de les réchauffer et de les servir. Elles sont très pratiques en camping.

Oignon, émincé	1 tasse	250 mL
Chapelure	1 tasse	250 mL
Eau	1 tasse	250 mL
Bouillon de bœuf en poudre	2 c. à thé	10 mL
Sel de table	1 c. à thé	5 mL
Poivre	$\frac{1}{2}$ c. à thé	2 mL
Poudre d'ail	$\frac{1}{4}$ c. à thé	1 mL
Bœuf haché maigre	$2\frac{1}{4}$ lb	1 kg
Eau bouillante	6 tasses	1,5 L
Bouillon de bœuf en poudre	2 c. à soupe	30 mL

Combiner les 7 premiers ingrédients dans un bol. Bien remuer.

Ajouter le bœuf haché. Mélanger. Façonner 18 galettes. Les faire dorer des deux côtés à la poêle, dans du beurre ou de la margarine. Les entasser dans des bocaux chauds stérilisés sans les briser, en laissant 2,5 cm (1 po) à l'ouverture.

Délayer la seconde quantité de bouillon en poudre dans l'eau bouillante. Remplir les bocaux de bouillon jusqu'à 2,5 cm (1 po) du couvercle. Bien visser les couvercles. Cuire à l'autoclave, à une pression de 10 livres, pendant 75 minutes pour les bocaux de 500 mL (1 chopine) et 90 minutes ceux de 1 L (1 pte). Donne 3 L (3 pte).

Photo à la page 35.

BOULETTES DE BŒUF HACHÉ : Façonner des boulettes au lieu de galettes.

TOMATES À L'ÉTUVÉE

Elles ressemblent à celles vendues dans les magasins.

Tomates mûres	6 lb	2,75 kg
Oignon haché fin	³/₄ tasse	175 mL
Céleri, haché fin	³/₄ tasse	175 mL
Poivron vert, haché fin	¹/₄ tasse	50 mL
Gros sel (pour marinades)	2 c. à thé	10 mL
Sucre granulé	2 c. à thé	10 mL

Plonger les tomates dans l'eau bouillante pendant 1 minute. Les peler et les hacher grossièrement, puis les mettre dans une marmite.

Y ajouter les autres ingrédients. Porter à ébullition à feu vif en remuant souvent. Remplir les bocaux en laissant 2,5 cm (1 po) à l'ouverture. Bien visser les couvercles. Cuire à l'autoclave, à une pression de 10 livres, pendant 30 minutes pour les bocaux de 500 mL (1 chopine) et 35 minutes ceux de 1 L (1 pte). À la fin de la cuisson, il semblera y avoir de l'eau au fond des bocaux, mais il suffit de remuer pour redonner à la préparation la consistance voulue. Donne 3 L (6 chopines).

HARICOTS AU PORC

Un plat qui plaît beaucoup aux campeurs.

Haricots blancs secs	3 lb	1,36 kg
Eau, pour bien couvrir		
Jambon, en dés	1¹/₂ lb	680 g
Flocons d'oignon	¹/₂ tasse	125 mL
Ketchup	2 tasses	450 mL
Mélasse	¹/₂ tasse	125 mL
Gros sel (pour marinades)	2 c. à thé	10 mL

Laisser les haricots macérer toute une nuit dans beaucoup d'eau, dans une grande casserole à fond épais. Les égoutter le lendemain matin puis les couvrir d'eau de nouveau. Porter à ébullition à feu moyen en remuant de temps en temps. Couvrir. Cuire environ 1 heure jusqu'à ce que les haricots soient tendres, mais pas trop mous. Vérifier la cuisson en croquant un haricot. Remuer en cours de cuisson.

Ajouter les autres ingrédients. Remuer. Porter de nouveau à ébullition. Verser les haricots dans des bocaux en laissant 2,5 cm (1 po) à l'ouverture. Bien visser les couvercles. Cuire à l'autoclave, à une pression de 10 livres, pendant 80 minutes pour les bocaux de 500 mL (1 chopine) et 100 minutes ceux de 1 L (1 pte). Ajouter un peu d'eau au moment de servir. Donne 5 L (10 chopines ou 5 pte).

Photo à la page 71.

RAGOÛT DE BŒUF

Un repas complet dans un bocal.

Margarine (le beurre dore trop vite)	1 c. à soupe	15 mL
Bifteck de ronde désossé	2 $\frac{1}{4}$ lb	1 kg
Oignons, en cubes	3 tasses	750 mL
Pommes de terre, en cubes	3 tasses	750 mL
Carottes, en cubes	3 tasses	750 mL
Navets, en cubes	1 $\frac{1}{2}$ tasse	375 mL
Petits pois	1 tasse	250 mL
Céleri, tranché	1 tasse	250 mL
Gros sel (pour marinades), par litre (pte)	1 c. à thé	5 mL
Eau	1 $\frac{1}{2}$ tasse	375 mL
Eau chaude	1 tasse	250 mL
Bouillon de bœuf en poudre	1 c. à thé	5 mL

Faire chauffer la margarine dans une poêle. Y faire dorer le bifteck sur les deux côtés, en le brunissant autant que possible sans qu'il prenne un goût de brûlé. Le couper en petites bouchées et le mettre dans un grand bol.

Ajouter les 6 légumes. Remuer pour les distribuer également. Entasser le tout dans des bocaux à fermeture hermétique de 1 L (1 pte) en laissant 2,5 cm (1 po) à l'ouverture.

Ajouter 5 mL (1 c. à thé) de sel par litre (pte).

Verser la première quantité d'eau dans la poêle. Gratter le fond pour en décoller la graisse de cuisson. Répartir ce liquide dans les bocaux.

Délayer le bouillon en poudre dans l'eau. Au besoin, préparer d'autre bouillon, en respectant les mêmes proportions. Remplir les bocaux de bouillon jusqu'à 2,5 cm (1 po) du couvercle. Bien visser les couvercles. Cuire à l'autoclave, à une pression de 10 livres, pendant 75 minutes pour les bocaux de 500 mL (1 chopine) et 90 minutes ceux de 1 L (1 pte). Donne 5 L (5 pte).

SOUPE DE TOMATES

Cette soupe veloutée est délicieuse. Pour servir, délayer la préparation dans autant d'eau.

Tomates mûres, en quartiers	8 lb	3,62 kg
Céleri, tranché	2 tasses	500 mL
Oignon moyen, haché	1	1
Gros poivron vert, épépiné, haché	1	1
Brins de persil	6	6
Clous de girofle entiers	6	6
Feuilles de laurier	6	6
Beurre ou margarine	4 c. à soupe	60 mL
Farine tout usage	3/4 tasse	175 mL
Sel de table	2 1/2 c. à soupe	35 mL

Combiner les 4 premiers ingrédients dans une marmite. Porter à ébullition.

Nouer le persil, les clous de girofle et les feuilles de laurier dans une étamine double. Ajouter ce sachet au contenu de la marmite. Cuire à découvert en remuant de temps en temps jusqu'à ce que les légumes soient tendres. Jeter le sachet d'épices. Passer au moulin ou au tamis et recueillir la purée dans une grande casserole.

Faire fondre le beurre dans une petite casserole. Incorporer la farine et le sel en remuant. Ajouter un peu de la purée pour délayer le tout. Porter la purée à ébullition dans la grande casserole. Incorporer le mélange de farine en remuant jusqu'à ébullition et épaississement. Remplir des bocaux jusqu'à 2,5 cm (1 po) du couvercle. Bien visser les couvercles. Cuire à l'autoclave, à une pression de 10 livres, pendant 25 minutes pour les bocaux de 500 mL (1 chopine) et 30 minutes ceux de 1 L (1 pte). Donne 2 L (4 chopines).

SAUMON EN CONSERVE

Ce saumon est délicieux par temps chaud, servi avec une salade.

Saumon frais, avec ou sans arêtes, par 500 mL (1 chopine)	8 oz	250 g
Gros sel (pour marinades), par 500 mL (1 chopine)	1/2 c. à thé	2 mL
Huile de cuisson, par 500 mL (1 chopine)	1 c. à thé	5 mL

Défaire le saumon en morceaux et l'entasser dans des bocaux de 500 mL (1 chopine) jusqu'à 2,5 cm (1 po) du couvercle. Ajouter le sel et l'huile de cuisson. Bien visser les couvercles. Cuire à l'autoclave, à une pression de 10 livres, pendant 100 minutes. Faire autant de bocaux que l'on a de saumon.

Photo à la page 17.

POULET EN CONSERVE

Il suffit de multiplier cette recette pour remplir autant de bocaux que l'on veut. Le poulet est bon et très pratique.

Morceaux de poulet, pièces charnues seulement, non dépouillés, par litre (pte)	**1 $^3/_4$ lb**	**800 g**
Gros sel (pour marinades), par litre (pte)	**1 c. à thé**	**5 mL**

Entasser les morceaux de poulet dans un bocal de 1 L (1 pte) jusqu'à 2,5 cm (1 po) du couvercle. Ajouter le sel. Bien visser les couvercles. Cuire à l'autoclave, à une pression de 10 livres, pendant 75 minutes pour les bocaux de 1 L (1 pte) et 65 minutes ceux de 500 mL (1 chopine). Remplir autant de bocaux que l'on veut.

POISSON EN CONSERVE

Avec ou sans arêtes, il est très pratique d'avoir du poisson ainsi préparé à portée de main. Les arêtes mollissent à la cuisson.

Poisson, frais pêché ou acheté, par 500 mL (1 chopine)	**8 oz**	**250 g**
Ketchup, par 500 mL (1 chopine)	**2 c. à soupe**	**30 mL**
Vinaigre blanc, par 500 mL (1 chopine)	**1 $^1/_2$ c. à thé**	**7 mL**
Huile de cuisson, par 500 mL (1 chopine)	**2 c. à thé**	**10 mL**
Gros sel (pour marinades), par par 500 mL (1 chopine)	**$^1/_2$ c. à thé**	**2 mL**

Couper le poisson, avec les arêtes, en morceaux. Entasser ceux-ci dans des bocaux de 500 mL (1 chopine) jusqu'à 2,5 cm (1 po) du couvercle.

Mélanger le ketchup, le vinaigre, l'huile de cuisson et le sel. Ajouter ce mélange au poisson. Préparer d'autres bocaux en procédant de la même façon. Bien visser les couvercles. Cuire à l'autoclave, à une pression de 10 livres, pendant 100 minutes. Laisser reposer 4 à 6 semaines avant de servir. Remplir autant de bocaux que l'on veut.

SOUPE AU BŒUF

Il n'y a pas d'ingrédients cachés quand on prépare cette bonne soupe soi-même.

Cubes de bouillon de bœuf	3 x ¹/₅ oz	3 x 6 g
Eau bouillante	2 tasses	500 mL
Feuilles de laurier	2	2
Sel de table	1¹/₂ c. à thé	7 mL
Poivre	¹/₂ c. à thé	2 mL
Bœuf, en dés	1 lb	454 g
Tomates mûres moyennes, pelées et grossièrement hachées	6	6
Pommes de terre, hachées	1 tasse	250 mL
Chou, haché	1 tasse	250 mL
Oignons, hachés	1 tasse	250 mL
Céleri, haché	1 tasse	250 mL
Carottes, hachées	1 tasse	250 mL
Sucre granulé	1 c. à thé	5 mL
Basilic déshydraté	¹/₄ c. à thé	1 mL

Combiner les cubes de bouillon et l'eau dans une marmite. Remuer jusqu'à ce que les cubes soient dissous.

Ajouter le laurier, le sel, le poivre, le bœuf et les tomates. Couvrir. Porter à ébullition en remuant souvent. Laisser mijoter 1 heure. Si le liquide s'évapore presque complètement, ajouter plus d'eau.

Ajouter les autres ingrédients. Remuer. Laisser mijoter 20 minutes de plus. Répartir les solides dans 5 bocaux de 500 mL (1 chopine). Distribuer le bouillon dans les bocaux et ajouter de l'eau au besoin pour remplir les bocaux jusqu'à 2,5 cm (1 po) du couvercle. Bien visser les couvercles. Conditionner à l'autoclave, à une pression de 10 livres, pendant 75 minutes pour les bocaux de 500 mL (1 chopine) et 90 minutes ceux de 1 L (1 pte). Au moment de servir, mêler la préparation et de l'eau en proportions égales et réchauffer. Saler au goût. Donne 2,5 L (5 chopines).

Photo à la page 17.

BŒUF EN CONSERVE

Avec du bœuf en conserve dans le garde-manger, il suffit de quelques instants pour préparer le repas. On peut le manger chaud ou froid, avec le jus épaissi comme sauce.

Bœuf désossé, par exemple du bœuf à ragoût	8 1/4 lb	3,75 kg
Gros sel (pour marinades), par 500 mL (1 chopine)	1/2 c. à thé	2 mL

Entasser la viande dans 8 bocaux de 500 mL (1 chopine) jusqu'à 2,5 cm (1 po) du couvercle. Ajouter 2 mL (1/2 c. à thé) de sel à chaque bocal. Bien visser les couvercles. Cuire à l'autoclave, à une pression de 10 livres, pendant 75 minutes pour les bocaux de 500 mL (1 chopine) et 90 minutes ceux de 1 L (1 pte). Avec des bocaux de 1 L (1 pte), ajouter 5 mL (1 c. à thé) de sel. Donne 4 L (8 chopines ou 4 pte).

PORC EN CONSERVE : Substituer du porc désossé au bœuf.

RELISH DE COURGETTES

Ce relish ne coûte pratiquement rien, surtout si l'on fait pousser les courgettes dans son jardin.

Courgettes non pelées, écrasées	5 tasses	1,25 L
Oignons, en purée	2 tasses	500 mL
Gros sel (pour marinades)	2 1/2 c. à soupe	40 mL
Petit poivron vert, épépiné et broyé	1	1
Petit poivron rouge, épépiné et broyé	1	1
Vinaigre blanc	1 1/4 tasse	300 mL
Sucre granulé	2 1/2 tasses	625 mL
Graines de céleri	1 c. à soupe	15 mL
Fécule de maïs	2 c. à thé	10 mL
Moutarde en poudre	1 1/2 c. à thé	7 mL
Curcuma	1 1/2 c. à thé	7 mL
Muscade	1 1/2 c. à thé	7 mL
Poivre	1/4 c. à thé	1 mL

Combiner les courgettes, l'oignon et le sel dans un grand bol. Couvrir et laisser reposer sur le comptoir jusqu'au lendemain. Égoutter. Rincer à l'eau froide. Égoutter de nouveau. Mettre le tout dans une marmite.

Ajouter les autres ingrédients. Porter à ébullition à feu vif en remuant souvent. Laisser bouillir 30 minutes à découvert en remuant de temps en temps. Remplir des bocaux chauds stérilisés jusqu'à 6 mm (1/4 po) du couvercle. Sceller les bocaux. Donne 5 ou 6 bocaux de 250 mL (1 demiard).

RELISH DES MILLE-ÎLES

Ce relish est délicieux avec n'importe quel plat.

Gros concombres non pelés, en quartiers, épépinés	14	14
Oignons moyens	10	10
Poivrons rouges, épépinés	2	2
Poivrons verts, épépinés	2	2
Gros sel (pour marinades)	$^1/_3$ tasse	75 mL
SAUCE		
Sucre granulé	8 tasses	1,8 L
Moutarde en poudre	5 c. à soupe	75 mL
Gingembre moulu	2 c. à soupe	30 mL
Curcuma	1 c. à soupe	15 mL
Eau	1 tasse	250 mL
Vinaigre blanc	4 tasses	900 mL
Fécule de maïs	$^1/_3$ tasse	75 mL
Eau	$^1/_4$ tasse	60 mL

Broyer les 4 premiers ingrédients et recueillir la purée dans un grand bol. Y ajouter le sel. Couvrir et laisser reposer sur le comptoir jusqu'au lendemain. Égoutter au matin.

Sauce : Bien combiner les 4 premiers ingrédients dans une grande casserole à fond épais. Incorporer l'eau, puis ajouter le vinaigre. Bien mélanger. Ajouter les légumes égouttés. Porter à ébullition à feu vif en remuant souvent. Laisser bouillir 10 minutes en remuant de temps en temps.

Délayer la fécule de maïs dans l'eau, dans un petit bol. Incorporer ce liquide à la préparation en ébullition. Porter de nouveau à ébullition. Laisser bouillir 1 minute, en remuant sans arrêt jusqu'à ce que la préparation épaississe. Remplir des bocaux chauds stérilisés jusqu'à 6 mm ($^1/_4$ po) du couvercle. Sceller les bocaux. Donne 4,25 L (8 $^1/_2$ chopines).

Cette recette est généreuse. Ce relish est bon avec des saucisses fumées et d'autres viandes.

LÉGUMES

Oignons	5 lb	2,5 kg
Concombres non pelés, épépinés	5 lb	2,5 kg
Cœurs de céleri	2	2
Poivrons verts, épépinés	3	3
Poivrons rouges, épépinés	3	3
Grosse tête de chou-fleur	1	1
Gros sel (pour marinades)	$^3/_4$ tasse	175 mL

SAUCE

Sucre granulé	6 tasses	1,5 L
Farine tout usage	2 tasses	500 mL
Curcuma	1 c. à soupe	15 mL
Vinaigre blanc	5 tasses	1,25 L
Eau	$3^1/_2$ tasses	875 mL

Légumes : Laver les légumes et les couper en gros morceaux. Les broyer au hachoir.

Mettre les légumes dans un grand bol et les saupoudrer de sel. Ajouter juste assez d'eau pour les couvrir. Couvrir et laisser reposer sur le comptoir jusqu'au lendemain. Bien égoutter au matin. Essorer les légumes pour en sortir toute l'eau.

Sauce : Mettre tous les ingrédients dans une marmite. Porter à ébullition à feu moyen en fouettant la préparation. Laisser mijoter en remuant pendant 2 à 3 minutes. Ajouter les légumes. Porter à ébullition à feu moyen en remuant. Retirer du feu. Remplir des bocaux chauds stérilisés jusqu'à 6 mm (¼ po) du couvercle. Sceller les bocaux. Donne 6,5 L (13 chopines).

Photo à la page 35.

RELISH DE CONCOMBRES À LA MOUTARDE

Ce relish est le compagnon idéal des parties de cuisine en plein air, qu'on le serve avec des hot-dogs, des tranches de jambon ou des hamburgers.

Gros concombre non pelé	1	1
Petits concombres, pelés et hachés	12	12
Oignons, hachés fin	8 tasses	1 L
Tête de céleri, hachée fin	1	1
Poivrons rouges, épépinés et hachés fin	3	3
Gros sel (pour marinades)	1/2 tasse	125 mL
Eau tiède, pour couvrir		
Gros chou-fleur	1	1
Eau	3 tasses	675 mL
Sucre granulé	8 tasses	2 L
Vinaigre blanc	4 tasses	1 L
Graines de moutarde	2 c. à soupe	30 mL
Graines de céleri	2 c. à soupe	30 mL
SAUCE		
Moutarde en poudre	1/4 tasse	60 mL
Farine tout usage	1 tasse	250 mL
Curcuma	1 c. à soupe	15 mL
Vinaigre blanc	1 1/2 tasse	375 mL

Hacher les légumes au robot culinaire ou au hachoir, en se servant de la grosse lame. Combiner les 6 premiers ingrédients dans une marmite et les couvrir de la première quantité d'eau. Remuer. Couvrir et laisser reposer sur le comptoir jusqu'au lendemain. Égoutter.

Défaire le chou-fleur en bouquets. Trancher les tiges assez fin. Mettre le tout dans une casserole avec la deuxième quantité d'eau. Couvrir. Cuire le chou-fleur jusqu'à ce qu'il soit tendre, mais encore croustillant. Ne pas le cuire trop. Égoutter. Ajouter les autres légumes.

Ajouter les 4 prochains ingrédients aux légumes. Porter à ébullition à feu moyen en remuant de temps en temps. Laisser bouillir 5 minutes, en remuant souvent pour empêcher le relish de brûler.

Sauce : Mêler la moutarde en poudre, la farine et le curcuma dans un petit bol. Incorporer le vinaigre en remuant jusqu'à ce qu'il ne reste plus de grumeaux. Incorporer ce liquide aux légumes en ébullition. Laisser mijoter pendant 10 minutes, en remuant souvent. Remplir des bocaux chauds stérilisés jusqu'à 6 mm (1/4 po) du couvercle. Sceller les bocaux. Donne 4,75 L (9 1/2 chopines).

Ce relish a fière allure, avec des petits morceaux rouges parsemés au milieu du maïs jaune.

Épis de maïs sucré frais	9	9
Poivron vert, épépiné et haché fin	1	1
Poivron rouge, épépiné et haché fin	1	1
Oignon moyen, haché fin	1	1
Céleri, haché fin	$^1/_2$ tasse	125 mL
Sel de table	$^1/_2$ c. à thé	2 mL
Sucre granulé	$2^1/_4$ tasses	550 mL
Vinaigre blanc	$2^1/_4$ tasses	550 mL
Graines de céleri	$^1/_2$ c. à thé	2 mL
Moutarde en poudre	1 c. à thé	5 mL
Fécule de maïs	1 c. à soupe	15 mL
Curcuma	$^1/_2$ c. à thé	2 mL
Eau	2 c. à soupe	30 mL

Dégager les grains de maïs des épis en les coupant avec un couteau, et non en raclant les épis. Il faut 1 L (4 tasses) de grains de maïs pour la recette. Mettre le maïs dans une marmite.

Y ajouter les 8 prochains ingrédients. Remuer. Porter à ébullition à feu vif en remuant souvent. Réduire la chaleur. Laisser mijoter à découvert pendant 30 minutes en remuant de temps en temps.

Mêler les 4 derniers ingrédients dans un petit récipient. Incorporer le mélange aux légumes qui mijotent. Porter de nouveau à faible ébullition en remuant jusqu'à épaississement. Remplir des bocaux chauds stérilisés jusqu'à 6 mm ($^1/_4$ po) du couvercle. Sceller les bocaux. Donne 1,5 L (6 demiards).

Photo à la page 71.

RELISH DE BETTES À CARDE

Une délicieuse et très économique façon d'apprêter ce légume potager.

Bettes, côtes blanches seulement, en dés	10 tasses	2,25 L
Gros sel (pour marinades)	¹/₄ tasse	60 mL
Oignons moyens, en dés	2	2
Vinaigre blanc	2 tasses	500 mL
Sucre granulé	2 tasses	500 mL
Graines de céleri	1 ¹/₂ c. à thé	7 mL
Graines de moutarde	¹/₂ c. à thé	2 mL
SAUCE		
Fécule de maïs	¹/₄ tasse	60 mL
Moutarde en poudre	1 c. à thé	5 mL
Curcuma	¹/₂ c. à thé	2 mL
Poudre de cari	¹/₂ c. à thé	2 mL
Eau	¹/₄ tasse	60 mL

Mettre les bettes dans une marmite. Les saupoudrer de sel et les laisser reposer pendant 2 heures.

Incorporer l'oignon. Laisser reposer ¹/₂ heure de plus. Bien égoutter.

Ajouter le vinaigre, le sucre et les graines de céleri et de moutarde. Porter à ébullition en remuant souvent. Cuire quelque 30 minutes, en remuant à l'occasion, jusqu'à ce que les côtes soient tendres.

Sauce : Combiner la fécule de maïs avec la moutarde en poudre, le curcuma et le cari dans un petit bol.

Incorporer l'eau aux épices et remuer jusqu'à ce qu'il n'y ait plus de grumeaux. Incorporer le tout au contenu de la marmite. Laisser bouillir 10 minutes de plus, en remuant souvent. Remplir des bocaux jusqu'à 6 mm (¹/₄ po) de l'ouverture. Sceller les bocaux. Donne 1,75 L (7 demiards).

RELISH DE POMMES

Ce relish est très épicé. Il est délicieux avec du porc, ou n'importe quelle autre viande.

Pommes surettes, pelées, épépinées et tranchées	2 lb	1 kg
Sucre granulé	2 tasses	500 mL
Eau	1/2 tasse	125 mL
Gingembre moulu	1 c. à soupe	15 mL
Amandes broyées	3 1/2 oz	100 g
Raisins secs	1 1/2 tasse	375 mL
Graines de moutarde	4 c. à thé	20 mL
Poivre de Cayenne, à peine	1 c. à soupe	15 mL
Sucre granulé	1 tasse	250 mL
Vinaigre blanc	1 tasse	250 mL
Sel de table	1 c. à soupe	15 mL

Combiner les 4 premiers ingrédients dans une grande casserole. Porter à ébullition à feu moyen. Cuire à découvert jusqu'à ce que les pommes soient tendres.

Ajouter les amandes, les raisins secs, les graines de moutarde et le poivre de Cayenne. Remuer. Cuire à découvert, en remuant souvent, jusqu'à ce que la préparation soit épaisse comme de la confiture.

Dans une autre casserole, combiner la seconde quantité de sucre, le vinaigre et le sel. Remuer. Laisser bouillir à découvert à feu moyen jusqu'à ce que le liquide réduise et épaississe un peu, en remuant souvent. Surveiller la cuisson de très près parce qu'il ne faut pas que le liquide caramélise. L'ajouter aux pommes et bien remuer. Remplir des bocaux chauds stérilisés jusqu'à 6 mm (1/4 po) du couvercle. Sceller les bocaux. Donne 1 L (2 chopines) et 1 petit bocal.

Photo à la page 107.

RELISH DE CAROTTES

Ce relish piquant contient des petits morceaux oranges. Il est prêt à étaler sur des hot-dogs.

Carottes, broyées, légèrement tassées	2 tasses	500 mL
Concombres non pelés, broyés, environ 1,14 kg (2 ½ lb)	4 tasses	1 L
Oignon, broyé	1 ½ tasse	1,5 L
Gros sel (pour marinades)	2 c. à soupe	30 mL
Sucre granulé	2 ¼ tasses	550 mL
Vinaigre blanc	1 ½ tasse	375 mL
Graines de céleri	1 ½ c. à thé	7 mL
Graines de moutarde	1 ½ c. à thé	7 mL

Mettre les légumes dans une marmite. Incorporer le sel. Couvrir et laisser reposer sur le comptoir pendant 3 heures. Bien égoutter.

Ajouter le sucre, le vinaigre et les graines de céleri et de moutarde aux légumes. Chauffer à feu moyen en remuant jusqu'à ce que le sucre soit dissous. Cuire à découvert pendant 20 minutes en remuant de temps en temps. Remuer plus souvent en fin de cuisson. Remplir des bocaux chauds stérilisés jusqu'à 6 mm (¼ po) du couvercle. Sceller les bocaux. Donne 1,25 L (5 demiards).

1. Chutney aux pommes page 22
2. Fruits au cari page 33
3. Haricots express page 140
4. Haricots à la moutarde page 81
5. Chutney aux poires page 24
6. Chutney aux bananes page 20
7. Gelée de menthe page 42

RELISH DES PRAIRIES

Ce relish onctueux et foncé relève toutes les viandes.

Tomates mûres, tranchées	12	12
Oignons moyens, tranchés	5	5
Raisins secs	3 tasses	750 mL
Sel de table	1 c. à soupe	15 mL
Cassonade, tassée	3 tasses	750 mL
Moutarde en poudre	2 c. à soupe	30 mL
Vinaigre blanc	3 tasses	750 mL
Clous de girofle, noués dans une étamine double	5	5

Mettre les 4 premiers ingrédients dans une marmite. Porter à ébullition à feu moyen. Laisser mijoter sous couvert pendant 2 heures, en remuant 2 ou 3 fois en cours de cuisson. Passer au moulin ou au tamis. Recueillir la purée dans la marmite.

Ajouter les autres ingrédients. Porter à ébullition à feu moyen. Laisser mijoter à découvert environ 15 minutes en remuant souvent. Jeter le sachet d'épices. Remplir des bocaux chauds stérilisés jusqu'à 6 mm ($\frac{1}{4}$ po) du couvercle. Sceller les bocaux. Donne 2 L (4 chopines).

RELISH DE BETTERAVES

Ce relish joliment coloré est aussi bon avec un plat chaud qu'avec un plat froid.

Betteraves, pelées et coupées en dés ou broyées	4 tasses	1 L
Chou, râpé	4 tasses	1 L
Oignon haché	1 tasse	250 mL
Raifort commercial	1 c. à soupe	15 mL
Vinaigre blanc	2 tasses	500 mL
Sucre granulé	1 $\frac{1}{2}$ tasse	375 mL
Gros sel (pour marinades)	1 c. à soupe	15 mL
Poivre	$\frac{1}{2}$ c. à thé	2 mL

Combiner tous les ingrédients dans une marmite. Porter à ébullition en remuant souvent. Laisser mijoter pendant 3 minutes. Remplir des bocaux chauds stérilisés jusqu'à 6 mm ($\frac{1}{4}$ po) du couvercle. Sceller les bocaux. Donne 2 L (8 demiards).

Photo à la page 107.

RELISH DE CHOU-FLEUR ET CONCOMBRES

Ce relish coloré se prépare à longueur d'année.

Concombres moyens, pelés, épépinés et hachés	6	6
Gros oignons, en morceaux	4	4
Tête de chou-fleur, en morceaux	1	1
Gros sel (pour marinades)	3 c. à soupe	50 mL
SAUCE		
Sucre granulé	3 tasses	750 mL
Farine tout usage	1/2 tasse	125 mL
Moutarde en poudre	3 c. à soupe	50 mL
Curcuma	1 c. à thé	5 mL
Gingembre moulu	1 c. à thé	5 mL
Poivre	1/4 c. à thé	1 mL
Eau chaude	2 tasses	500 mL
Vinaigre blanc	2 tasses	500 mL
Épices mélangées pour marinades, nouées dans une étamine double	3 c. à soupe	50 mL

Passer les concombres, les oignons et le chou-fleur au hachoir. Incorporer le sel. Couvrir et laisser reposer sur le comptoir pendant 3 heures. Égoutter.

Sauce : Combiner les 6 premiers ingrédients dans une grande casserole.

Incorporer l'eau chaude, puis le vinaigre et le sachet d'épices. Porter à ébullition à feu vif en remuant souvent. Laisser bouillir 10 minutes en remuant de temps en temps. Jeter le sachet d'épices. Ajouter les légumes à la sauce. Remuer. Remplir des bocaux chauds stérilisés jusqu'à 6 mm (1/4 po) du couvercle. Sceller les bocaux. Donne 2,5 L (5 chopines).

RELISH DE RHUBARBE

Un bon condiment, à essayer avec des hot-dogs, des hamburgers ou d'autres viandes.

Rhubarbe, hachée	5 tasses	1,25 L
Oignon haché	5 tasses	1,25 L
Vinaigre de cidre	2 1/2 tasses	625 mL
Cassonade, tassée	6 tasses	1,5 L
Sel de table	1 c. à soupe	15 mL
Poivre	1 c. à thé	5 mL
Cannelle moulue	1 c. à thé	5 mL
Clous de girofle moulus	1 c. à thé	5 mL

(suite...)

Mettre la rhubarbe, l'oignon et le vinaigre dans une grande casserole. Porter à ébullition à feu moyen. Cuire à découvert pendant 20 minutes, en remuant souvent.

Ajouter les autres ingrédients. Remuer. Poursuivre la cuisson jusqu'à épaississement, environ 30 minutes, en remuant souvent. Remplir des bocaux chauds stérilisés jusqu'à 6 mm ($^1/_4$ po) du couvercle. Sceller les bocaux. Donne 1,25 L (2 $^1/_2$ chopines).

RELISH DU MILLIONNAIRE

Un condiment qui vaut son pesant d'or.

Concombres non pelés	**6 lb**	**3 kg**
Oignons	**2 lb**	**1 kg**
Poivrons verts, épépinés	**3**	**3**
Poivrons rouges, épépinés	**2**	**2**
Gros sel (pour marinades)	**$^1/_2$ tasse**	**125 mL**
Eau bouillante	**10 tasses**	**2,5 L**
Vinaigre blanc	**2 $^1/_2$ tasses**	**625 mL**
Sucre granulé	**5 tasses**	**1,25 L**
Graines de moutarde	**2 c. à soupe**	**30 mL**
Curcuma	**1 c. à soupe**	**15 mL**
Fécule de maïs	**2 c. à soupe**	**30 mL**
Eau froide	**2 c. à soupe**	**30 mL**

Couper les concombres, les oignons et les poivrons en gros morceaux. Les passer au hachoir et recueillir la purée dans une marmite.

Saupoudrer de sel et couvrir le tout d'eau bouillante. Couvrir et laisser reposer sur le comptoir jusqu'au lendemain.

Le matin, bien égoutter les légumes. Y ajouter le vinaigre, le sucre, les graines de moutarde et le curcuma. Porter à ébullition à feu moyen en remuant souvent. Laisser frémir pendant 30 minutes.

Délayer la fécule de maïs dans l'eau froide. Incorporer ce liquide à la préparation en ébullition et remuer jusqu'à ce que celle-ci épaississe un peu. Remplir des bocaux chauds stérilisés jusqu'à 6 mm ($^1/_4$ po) du couvercle. Sceller les bocaux. Donne environ 3,5 L (7 chopines).

Photo à la page 107.

RELISH SUCRÉ

Ce condiment est très facile à préparer. On peut s'en servir pour garnir des sandwiches, des hamburgers ou des hot-dogs.

Concombres	6 lb	2,7 kg
Poivron rouge, haché fin, tassé	$1/4$ tasse	60 mL
Gros sel (pour marinades)	$3\,1/3$ c. à soupe	50 mL
Sucre granulé	$2\,2/3$ tasses	650 mL
Vinaigre	1 tasse	250 mL
Eau	1 tasse	250 mL
Graines de moutarde	1 c. à thé	5 mL
Poudre d'oignon	$1/2$ c. à thé	2 mL
Sel au céleri	$1/2$ c. à thé	2 mL
Colorant alimentaire vert (facultatif)		

Couper les concombres en deux sur la longueur et les épépiner. Il est préférable de choisir des petits concombres parce que la proportion de peau verte est alors plus forte. Passer les concombres et le poivron rouge au hachoir et recueillir la purée dans un bol. Y incorporer le sel. Couvrir et laisser reposer sur le comptoir jusqu'au lendemain.

Égoutter. Mettre la purée dans une marmite. Y ajouter les autres ingrédients. Porter à ébullition à feu moyen en remuant jusqu'à ce que le sucre soit dissous. Laisser bouillir 30 minutes en remuant de temps en temps. On peut ajouter un tout petit peu de colorant alimentaire vert à la préparation pour lui donner une couleur plus prononcée qui ressemble davantage à celle du relish sucré vendu dans les magasins. Remplir des bocaux chauds stérilisés jusqu'à 6 mm ($1/4$ po) du couvercle. Sceller les bocaux. Donne 1 L (4 demiards).

Photo à la page 35.

RELISH À L'INDIENNE

Ce relish sucré est parsemé de petits morceaux de poivron rouge.

Concombres non pelés	6 lb	2,75 kg
Oignons	3 lb	1,36 kg
Grosse tête de chou-fleur	1	1
Poivrons rouges, épépinés	6	6
Sel de table	2 c. à soupe	30 mL
SAUCE		
Sucre granulé	3 tasses	750 mL
Farine tout usage	½ tasse	125 mL
Curcuma	1 c. à thé	5 mL
Graines de céleri	1 c. à thé	5 mL
Graines de moutarde	1 c. à thé	5 mL
Vinaigre blanc	3 tasses	750 mL

Couper les concombres, les oignons, le chou-fleur et les poivrons rouges en morceaux et les passer au hachoir. Recueillir la purée dans un grand bol.

Saupoudrer de sel. Couvrir et laisser reposer sur le comptoir jusqu'au lendemain. Égoutter.

Sauce : Combiner les 5 premiers ingrédients dans une marmite.

Incorporer le vinaigre. Porter à ébullition à feu vif en remuant jusqu'à ébullition et épaississement. Ajouter la purée de légumes. Porter de nouveau à ébullition. Cuire 10 minutes, en remuant de temps en temps. Remplir des bocaux chauds stérilisés jusqu'à 6 mm (¼ po) du couvercle. Sceller les bocaux. Donne 4 L (8 chopines).

Photo à la page 71.

PRUNES ÉPICÉES

Il s'agit d'une vieille recette de famille. Ces prunes sont bonnes avec du jambon ou du bœuf froid, et aussi avec du fromage à la crème, du fromage cottage ou directement à la cuillère.

Prunes à pruneaux	3 1/2 lb	1,6 kg
Sucre granulé	6 tasses	1,35 L
Cannelle moulue	1 c. à soupe	15 mL
Clous de girofle moulus	1 1/2 c. à thé	7 mL
Sel de table	1/2 c. à thé	2 mL
Vinaigre blanc	1 1/2 tasse	350 mL

Couper les prunes en deux et les dénoyauter. À moins d'avoir un robot culinaire, couper chaque moitié de prune en au moins 8 morceaux pour que les bouts de peau qui restent à la fin soient petits. Sinon, couper chaque moitié en 3 ou 4 morceaux. Mettre le tout dans une marmite.

Ajouter les autres ingrédients. Chauffer à feu vif jusqu'à ce que le sucre soit dissous. Porter à ébullition. Laisser bouillir 5 minutes, en remuant de temps en temps, jusqu'à ce que les prunes soient molles. Laisser refroidir. Passer les prunes au robot, en plusieurs tournées. Il devrait rester des petits morceaux de la peau des prunes dans la purée. Remettre la purée dans la marmite. Porter de nouveau à ébullition. Remplir des bocaux chauds stérilisés jusqu'à 6 mm (1/4 po) du couvercle. Sceller les bocaux. Donne 2,75 L (5 1/2 chopines).

SIROP À CRÊPES

Avec cette recette, on n'est jamais à court de sirop.

Eau	3 tasses	675 mL
Sucre granulé	3 tasses	675 mL
Cassonade	3 tasses	675 mL
Sirop de maïs	1 tasse	225 mL
Jus de citron, frais ou en bouteille	1 c. à soupe	15 mL
Vanille	1 c. à soupe	15 mL
Essence d'érable	1 c. à soupe	15 mL

Combiner les 4 premiers ingrédients dans une grande casserole. Porter à ébullition à feu vif.

Ajouter le jus de citron, la vanille et l'essence d'érable. Remuer. Remplir des bouteilles chaudes stérilisées jusqu'à 6 mm (1/4 po) du bouchon et les sceller. Donne 1,75 L (3 1/2 chopines).

Photo à la page 89.

SAUCE AIGRE-DOUCE

Cette sauce se conserve en bocaux ou au congélateur. Elle est également bonne sans la sauce soja.

Cassonade, tassée	3 tasses	700 mL
Farine tout usage	$^1/_3$ tasse	75 mL
Vinaigre blanc	1 $^1/_2$ tasse	350 mL
Eau	1 tasse	250 mL
Sauce soja	$^1/_4$ tasse	60 mL
Paprika	$^1/_2$ c. à thé	2 mL

Bien combiner la cassonade avec la farine dans une casserole.

Y ajouter le vinaigre et mélanger. Ajouter ensuite l'eau, la sauce soja et le paprika. Porter à ébullition à feu moyen en remuant jusqu'à épaississement. Remplir des bocaux chauds stérilisés jusqu'à 6 mm ($^1/_4$ po) du couvercle. Sceller les bocaux. Donne 825 mL (3 $^1/_2$ tasses) ou 750 mL (3 demiards) et 1 petit bocal.

SAUCE CHILI D'HIVER

Il est intéressant de préparer cette sauce quand on n'a pas des tomates mûres, ou simplement quand il est plus pratique de se servir de conserves.

Tomates, en conserve (voir remarque)	28 oz	796 mL
Grosses pommes surettes, hachées fin	3	3
Gros oignons, hachés fin	2	2
Céleri, haché fin	1 tasse	250 mL
Poivron rouge, épépiné et haché fin	1	1
Sel de table	1 $^1/_2$ c. à thé	7 mL
Cassonade, tassée	1 tasse	250 mL
Cannelle moulue	$^1/_2$ c. à thé	2 mL
Clous de girofle moulus	$^1/_4$ c. à thé	1 mL
Vinaigre blanc	$^3/_4$ tasse	175 mL

Combiner les 6 premiers ingrédients dans une casserole. Porter à ébullition à feu moyen. Cuire à découvert environ 1 $^1/_4$ heure jusqu'à ce que les légumes et les pommes soient tendres, en remuant de temps en temps.

Ajouter les autres ingrédients. Remuer. Porter de nouveau à ébullition. Remplir des bocaux chauds stérilisés jusqu'à 6 mm ($^1/_4$ po) du couvercle. Sceller les bocaux. Donne 1,75 L (3 $^1/_2$ chopines).

Remarque : Si les tomates sont fraîches, il en faut 1 kg (2 $^1/_3$ lb), pelées et cuites.

Photo à la page 35.

SAUCE CHILI

Quand les tomates mûrissent rapidement en grandes quantités, on peut en mettre un grand nombre dans cette sauce.

Tomates mûres, pelées, coupées en dés	12	12
Gros oignons, tranchés fin	4	4
Céleri, haché fin	1 tasse	250 mL
Vinaigre blanc	2 tasses	500 mL
Cassonade, tassée	2 tasses	500 mL
Cannelle moulue	1 c. à soupe	15 mL
Clous de girofle moulus	1 c. à thé	5 mL
Sel de table	1 c. à soupe	15 mL

Combiner tous les ingrédients dans une marmite. Porter à ébullition à feu moyen en remuant. Laisser mijoter à découvert pendant environ 1$\frac{1}{2}$ heure, jusqu'à ce que la sauce épaississe, en remuant de temps en temps. Remplir des bocaux chauds stérilisés jusqu'à 6 mm ($\frac{1}{4}$ po) du couvercle. Sceller les bocaux. Donne 2 L (4 chopines).

SAUCE TOMATE

Il est pratique d'avoir cette savoureuse sauce à portée de main. Elle est de rigueur avec des pâtes.

Tomates mûres, pelées et grossièrement hachées	4$\frac{1}{2}$ lb	1 kg
Oignons moyens, hachés très fin	3	3
Vinaigre blanc	1 tasse	250 mL
Gousses d'ail, émincées	2	2
Feuilles de laurier	4	4
Basilic déshydraté	2 c. à thé	10 mL
Origan déshydraté	2 c. à thé	10 mL
Sel de table	2 c. à thé	10 mL
Poivre	$\frac{1}{2}$ c. à thé	2 mL
Quatre-épices	$\frac{1}{2}$ c. à thé	2 mL
Sucre granulé	1 tasse	250 mL

Combiner tous les ingrédients dans une marmite. Porter à ébullition à feu vif, en remuant souvent. Laisser mijoter à découvert pendant 1$\frac{1}{2}$ à 2 heures, en remuant de temps en temps, jusqu'à ce que la sauce ait suffisamment épaissi. Rajuster l'assaisonnement au goût. Remplir des bocaux chauds stérilisés jusqu'à 6 mm ($\frac{1}{4}$ po) du couvercle. Sceller les bocaux. On peut aussi laisser la sauce refroidir puis la verser dans des récipients en laissant 2,5 cm (1 po) d'espace à l'ouverture et la congeler. Donne 1,75 L (3$\frac{1}{2}$ chopines).

(suite...)

SAUCE SPAGHETTI À LA VIANDE : Faire revenir 1 kg (2 1/4 lb) de bœuf haché maigre. L'ajouter à la sauce tomate. Remuer. Congeler dans des récipients de 500 mL (2 tasses). Pour conserver la sauce dans des bocaux, conditionner les bocaux dans l'autoclave en suivant les consignes du fabricant.

SAUCE AUX CANNEBERGES

Cette sauce est meilleure quand elle est faite maison. En prévoir en quantité.

Canneberges	4 tasses	1 L
Eau	2 tasses	500 mL
Sucre granulé	2 tasses	500 mL

Combiner les canneberges et l'eau dans une grande casserole. Porter à ébullition sous couvert. Laisser mijoter 20 minutes.

Ajouter le sucre et remuer jusqu'à ce qu'il soit dissous. Porter de nouveau à ébullition. Laisser bouillir vivement pendant 5 minutes. Remplir des bocaux chauds stérilisés jusqu'à 6 mm (1/4 po) du couvercle. Sceller les bocaux. Se conserve au moins 4 mois au réfrigérateur après l'ouverture. Donne 1 L (4 demiards).

GELÉE DE CANNEBERGES : Passer le mélange de canneberges cuites et d'eau au moulin ou au tamis. Y ajouter le sucre et faire bouillir tel qu'indiqué ci-dessus.

SIROP AUX ABRICOTS

Ce sirop est un délice sur les crêpes, et sur la crème glacée.

Abricots, en moitiés, dénoyautés et hachés	2 lb	1 kg
Eau	1 tasse	250 mL
Sucre granulé	4 tasses	1 L
Jus de citron, frais ou en bouteille	2 c. à soupe	30 mL
Sirop de maïs	1 c. à soupe	15 mL

Réduire la moitié des abricots et la moitié de l'eau en purée au mélangeur. Verser celle-ci dans une grande casserole. Faire de même avec le reste des abricots et de l'eau.

Ajouter le sucre, le jus de citron et le sirop de maïs. Porter à ébullition en remuant à feu vif jusqu'à ce que le sucre soit dissous. Laisser bouillir 5 minutes en remuant. Ecumer. Remplir des bocaux chauds stérilisés jusqu'à 6 mm (1/4 po) du couvercle. Sceller les bocaux. Donne 1,5 L (6 demiards).

Photo à la page 89.

SAUCE BARBECUE

Avec des tomates du potager, cette sauce devient très économique. Elle se conserve très bien au congélateur.

Tomates mûres	4 $^1/_2$ lb	2 kg
Céleri, haché très fin	2 tasses	500 mL
Poivron vert, haché très fin	1 $^1/_2$ tasse	375 mL
Oignons moyens, hachés très fin	3	3
Gousses d'ail, émincées	2	2
Cassonade, tassée	1 tasse	250 mL
Vinaigre blanc	1 tasse	250 mL
Sauce Worcestershire	1 c. à soupe	15 mL
Paprika	2 c. à soupe	30 mL
Moutarde en poudre	1 c. à soupe	15 mL
Sel de table	2 c. à thé	10 mL
Poivre de Cayenne	$^1/_4$ c. à thé	1 mL
Poudre chili	$^1/_2$ c. à thé	2 mL
Fumée liquide	$^1/_2$ c. à thé	2 mL

Couper les tomates en gros morceaux et les mettre dans une marmite. Cuire à feu moyen, en remuant souvent, jusqu'à ce que les tomates mollissent. Les passer au moulin pour en ôter les pépins et la peau. Recueillir la purée dans la marmite.

Ajouter les autres ingrédients. Bien remuer. Porter à ébullition à feu moyen en remuant souvent. Laisser mijoter environ 1 $^1/_2$ heure, en remuant de temps en temps, jusqu'à ce que la préparation épaississe. Laisser refroidir. La passer au mélangeur jusqu'à ce qu'elle soit lisse. Remettre le tout dans la marmite et porter de nouveau à ébullition. À ce stade, on peut ajouter du paprika pour accentuer la couleur ou ne pas en mettre d'autre si les tomates sont déjà rouge foncé. Pour donner plus de mordant à la sauce, on peut aussi y mettre plus de poivre de Cayenne. Remplir des bocaux chauds stérilisés jusqu'à 6 mm ($^1/_4$ po) du couvercle. Sceller les bocaux. Donne 1,75 L (7 demiards).

Photo à la page 35.

SIROP AUX BLEUETS

Ce sirop est bon sur des crêpes ordinaires, mais exquis sur des crêpes aux bleuets.

Bleuets	6 tasses	1,35 L
Sucre granulé	1 tasse	225 mL
Eau	1 tasse	225 mL
Sirop de maïs	$^1/_3$ tasse	75 mL
Jus de citron, frais ou en bouteille	2 c. à thé	10 mL

Combiner tous les ingrédients dans une grande casserole. Porter à ébullition à feu vif en remuant. Laisser mijoter sous couvert pendant 10 minutes. Passer le tout au tamis. Répartir le sirop également dans 2 bocaux chauds stérilisés de 250 mL (1 demiard). Au besoin, ajouter de l'eau bouillante pour remplir les bocaux jusqu'à 6 mm ($^1/_4$ po) du couvercle. Sceller les bocaux. Donne 500 mL (2 demiards).

Photo à la page 89.

TOMATES SÉCHÉES

Ce hors-d'œuvre est succulent.

Tomates Roma, en moitiés, épépinées	12	12
SAUMURE		
Huile de cuisson	1$^1/_2$ tasse	150 mL
Zeste de citron émincé, 2,5 × 1 cm (1 × $^1/_2$ po)	4	4
Poivre noir en grains	1 c. à thé	5 mL
Graines de moutarde	$^1/_2$ c. à thé	2 mL
Sel à l'oignon	$^1/_2$ c. à thé	2 mL
Thym	$^1/_2$ c. à thé	2 mL
Basilic	$^1/_2$ c. à thé	2 mL
Ciboulette	$^1/_2$ c. à thé	2 mL
Sel à l'ail	$^1/_2$ c. à thé	2 mL
Romarin	$^1/_2$ c. à thé	2 mL

Coucher les moitiés de tomates, côté coupé vers le bas, sur des grilles. Poser les grilles sur des plaques à biscuits. Sécher les tomates au four, à 150 °F (65 °C) environ 12 heures. Ôter les tomates plus petites à mesure qu'elles sèchent.

Saumure : Combiner tous les ingrédients dans un bocal. Ajouter les tomates séchées. Au besoin, ajouter de l'huile de cuisson pour les couvrir. Laisser reposer au réfrigérateur pendant 1 semaine avant de servir. Sortir les tomates du bocal avec une écumoire. Donne 24 tomates séchées.

TARTINADE À SANDWICH

Cette tartinade a juste ce qu'il faut de mordant.

Poivron vert, épépiné et broyé fin	1	1
Poivron rouge, épépiné et broyé fin	1	1
Vinaigre blanc	³/₄ tasse	175 mL
Sucre granulé	1 tasse	250 mL
Crème à fouetter	1 tasse	250 mL
Beurre ou margarine	¹/₂ tasse	125 mL
Gros sel (pour marinades)	2 c. à thé	10 mL
Moutarde en poudre	1 c. à soupe	15 mL
Gros œufs	3	3
Farine tout usage	¹/₄ tasse	60 mL
Cheddar mi-fort, râpé	1 tasse	250 mL

Combiner les 8 premiers ingrédients dans une casserole. Porter à ébullition à feu vif en remuant souvent.

Mêler les œufs et la farine dans un petit bol jusqu'à ce qu'il ne reste plus de grumeaux. Incorporer ce mélange à la préparation en ébullition et porter de nouveau à ébullition, en remuant jusqu'à épaississement.

Incorporer le fromage et remuer jusqu'à ce qu'il fonde. Remplir des bocaux chauds stérilisés jusqu'à 6 mm (¹/₄ po) du couvercle ou laisser refroidir 15 minutes puis remplir des récipients en laissant 2,5 cm (1 po) à l'ouverture, les couvrir et congeler. Sceller les bocaux. Donne 1 à 1,25 L (4 à 5 demiards).

Photo à la page 71.

TOMATES CONGELÉES

Grâce à cette méthode de conservation, on peut manger à longueur d'année des tomates mûries sur le plant.

Tomates mûres, en morceaux, pour faire 900 mL (4 tasses)	2 lb	900 g
Jus de tomate	$^1/_2$ tasse	125 mL
Sucre granulé	2 c. à thé	10 mL
Sel de table	1 c. à thé	5 mL

Plonger les tomates dans l'eau bouillante pendant environ 30 secondes, puis les peler. Il en faut 900 mL (4 tasses) pour la recette. Combiner tous les ingrédients ensemble dans une casserole. Porter à ébullition. Laisser mijoter pendant 10 minutes, en remuant 2 ou 3 fois en cours de cuisson. Laisser refroidir. Entasser les tomates dans des récipients, en laissant 2,5 cm (1 po) à l'ouverture pour l'expansion. Congeler. Donne 900 mL (4 tasses).

KETCHUP

Cette recette économique permet de remplir une bouteille, mais on peut la multiplier pour en faire plusieurs.

Pâte de tomates	$5^1/_2$ oz	156 mL
Vinaigre blanc	$^1/_2$ tasse	125 mL
Sucre granulé	$^1/_4$ tasse	60 mL
Poudre d'oignon	$^3/_4$ c. à thé	4 mL
Sel de table	$^3/_4$ c. à thé	4 mL
Clous de girofle moulus	$^1/_8$ c. à thé	0,5 mL

Bien combiner tous les ingrédients dans une casserole. Porter à ébullition à feu moyen en remuant. Remplir un bocal chaud stérilisé jusqu'à 6 mm ($^1/_4$ po) du couvercle. Sceller le bocal pour le ranger dans le garde-manger ou le réfrigérer pour consommer sur-le-champ. Le ketchup se conserve au moins 8 mois au réfrigérateur. Donne 250 mL (1 demiard).

Photo à la page 35.

HARICOTS EXPRESS

Ils doivent leur nom à la rapidité d'exécution.

Haricots verts, en morceaux de 2,5 cm (1 po) de longueur	16 tasses	3,6 L
Eau	32 tasses	7,2 L
Gros sel (pour marinades)	³/₄ tasse	175 mL
Vinaigre blanc	¹/₂ tasse	125 mL

Mettre les haricots dans des bocaux, sans trop les tasser, en laissant 2,5 cm (1 po) à l'ouverture.

Mettre l'eau, le sel et le vinaigre dans une grande casserole. Porter à ébullition. Verser ce mélange sur les haricots, dans les bocaux, jusqu'à 12 mm (¹/₂ po) du couvercle. Bien visser les couvercles. Conditionner dans un bain d'eau chaude pendant 30 minutes. Les haricots sont très bons réchauffés dans le liquide de conservation ou tout simplement dans de l'eau. Donne 4 L (8 chopines ou 4 pte).

Photo à la page 125.

KETCHUP AUX CANNEBERGES

Le condiment «surprise-poulet»!

Canneberges, fraîches ou surgelées	1¹/₄ lb	570 g
Eau, pour couvrir		
Pulpe des canneberges	1¹/₂ tasse	350 mL
Vinaigre blanc	¹/₂ tasse	125 mL
Sucre granulé	2 tasses	450 mL
Cannelle moulue	1 c. à thé	5 mL
Poivre	³/₄ c. à thé	4 mL
Clous de girofle moulus	¹/₂ c. à thé	2 mL
Sel de table	¹/₂ c. à thé	2 mL

Cuire les canneberges dans l'eau jusqu'à ce qu'elles éclatent. Égoutter. Mettre les canneberges dans le robot. Les hacher jusqu'à ce qu'il ne reste que de la pulpe.

Combiner la pulpe, le vinaigre, le sucre et les épices dans une grande casserole. Laisser mijoter à découvert environ 20 minutes, en remuant souvent, jusqu'à ce que la sauce épaississe. Remplir des bocaux chauds stérilisés jusqu'à 6 mm (¹/₄ po) du couvercle. Sceller les bocaux. Donne 500 mL (2 demiards) et 1 petit bocal.

KETCHUP À LA RHUBARBE

Ce condiment suret est délicieux avec de la viande ou sur un sandwich.

Rhubarbe, en cubes	6 tasses	1,35 L
Oignon haché	4 tasses	900 mL
Céleri, en dés	1 1/2 tasse	375 mL
Tomates, en conserve, égouttées et écrasées (voir remarque)	28 oz	796 mL
Sucre granulé	3 tasses	700 mL
Vinaigre blanc	2 tasses	450 mL
Cannelle moulue	2 c. à thé	10 mL
Clous de girofle moulus	1 c. à thé	5 mL
Sel de table	1 c. à thé	5 mL
Poivre	1 c. à thé	5 mL
Épices mélangées pour marinades, nouées dans une étamine double	1 c. à thé	5 mL

Combiner tous les ingrédients dans une grande casserole. Porter à ébullition à feu moyen. Laisser mijoter à découvert environ 35 minutes, en remuant souvent, jusqu'à ce que les légumes soient cuits et que la préparation épaississe. Jeter le sachet d'épices. On peut laisser la préparation telle quelle ou la passer au moulin ou au tamis pour la rendre plus onctueuse et en ôter les pépins. Porter de nouveau à ébullition. Remplir des bocaux chauds stérilisés jusqu'à 6 mm (1/4 po) du couvercle. Sceller les bocaux. Donne 1,75 L (3 1/2 chopines).

Remarque : On peut faire la recette avec 1 kg (2 1/3 lb) de tomates fraîches cuites, pelées et coupées en cubes.

TOMATES EN CONSERVE

Une excellente méthode pour conserver des tomates du jardin.

Tomates, pelées	5 1/2 lb	2,5 kg
Jus de citron en bouteille (pas du frais), par 500 mL (1 chopine)	1 c. à soupe	15 mL
Gros sel (pour marinades), par 500 mL (1 chopine)	1/2 c. à thé	2 mL
Sucre granulé, par 500 mL (1 chopine)	1/2 c. à thé	2 mL

On peut laisser les tomates entières ou les couper en morceaux. Les mettre dans une marmite. Chauffer à feu moyen jusqu'à ce que la préparation commence à frémir. Remplir des bocaux chauds stérilisés jusqu'à 12 mm (1/2 po) du couvercle.

Ajouter du jus de citron, du sel et du sucre à chaque bocal de 500 mL (1 chopine). Bien visser les couvercles. Conditionner dans un bain d'eau chaude pendant 35 minutes pour les bocaux de 500 mL (1 chopine) et 45 minutes ceux de 1 L (1 pte). Donne 2 L (4 chopines).

CHOUCROUTE

La choucroute faite maison est la meilleure. Commencer par en faire une petite quantité, puis multiplier la recette au besoin.

Chou, râpé	**6 lb**	**2,72 kg**
Gros sel (pour marinades)	**4 c. à soupe**	**60 mL**

Mettre ¼ du chou râpé et 15 mL (1 c. à soupe) de sel dans un petit pot. Taper le chou pour le meurtrir et amorcer la production du jus. À cette fin, un bâton de base-ball convient très bien pour les grosses quantités et un pilon à pommes de terre pour les petites. Répéter cette étape jusqu'à ce que tout le chou et le sel se trouvent dans le pot. Recouvrir le chou d'une assiette inversé ou d'un plateau rond. Poser sur ce couvercle une pierre ou quelque chose d'assez lourd pour que la saumure recouvre le couvercle, mais non ce qui est posé dessus. Couvrir le tout d'une pellicule plastique et laisser fermenter à la température de la pièce. La fermentation se produit même si la température ambiante est plutôt basse, mais elle prend alors plus longtemps. Tous les jours, écumer la mousse sur le liquide affleurant. Il faut que le chou demeure toujours recouvert de liquide. Quand la fermentation est terminée, il ne se forme plus de mousse au-dessus du chou et tout le liquide est réabsorbé. La fermentation prend de 10 à 12 jours.

Entasser la choucroute dans des bocaux chauds stérilisés en laissant 12 mm (½ po) à l'ouverture. Remplir de saumure. Pour faire plus de saumure, délayer 30 mL (2 c. à soupe) de gros sel (pour marinades) dans 500 mL (2 tasses) d'eau. Essuyer l'ouverture des bocaux. Bien visser les couvercles. Conditionner dans un bain d'eau chaude pendant 35 minutes pour les bocaux de 500 mL (1 chopine) et 40 minutes ceux de 1 L (1 pte). Donne 3 L (3 pte).

1. Marmelade de rhubarbe page 63
2. Confiture de framboises fouettée page 47
3. Beurre de bananes page 19
4. Crème au citron page 19
5. Marmelade de carottes page 62
6. Gelée de merises page 44

MOUTARDE DORÉE

Cette moutarde est sucrée, mais pas trop. La recette convient aux cuisiniers moins expérimentés.

Farine tout usage	$^2/_3$ tasse	150 mL
Sucre granulé	$^3/_4$ tasse	175 mL
Moutarde en poudre	$1^1/_2$ c. à thé	7 mL
Sel de table	2 c. à thé	10 mL
Curcuma	1 c. à thé	5 mL
Eau	$^3/_4$ tasse	175 mL
Vinaigre blanc	1 tasse	225 mL
Eau	$^2/_3$ tasse	150 mL
Margarine	3 c. à soupe	50 mL
Jus de citron, frais ou en bouteille	2 c. à thé	10 mL

Bien combiner les 5 premiers ingrédients dans une casserole.

Incorporer la première quantité d'eau jusqu'à ce qu'il ne reste plus de grumeaux.

Ajouter les autres ingrédients. Porter à ébullition à feu moyen en remuant jusqu'à épaississement. Remplir des bocaux chauds stérilisés jusqu'à 6 mm ($^1/_4$ po) du couvercle. Sceller les bocaux. Donne 500 mL (2 demiards) avec un reste de 150 mL ($^2/_3$ tasse) qui peut être servi sur-le-champ.

Photo à la page 35.

SAUCE À LA MOUTARDE ET AU MIEL

Cette sauce se fait en un clin d'œil, et on s'en fait souvent demander la recette. Elle est exquise sur une salade.

Huile d'olive (ou de cuisson)	1 tasse	225 mL
Vinaigre à l'estragon	$^1/_4$ tasse	60 mL
Miel baratté (non liquide)	$^1/_3$ tasse	75 mL
Moutarde de Dijon	$^1/_3$ tasse	75 mL
Jus de citron, frais ou en bouteille	2 c. à soupe	30 mL
Gousse d'ail	1	1

Mettre tous les ingrédients dans le mélangeur. Combiner jusqu'à ce que la sauce soit lisse. La verser dans un récipient et couvrir. Se conserve au moins 6 mois au réfrigérateur. Si la sauce épaissit au réfrigérateur, la passer au mélangeur avant de servir. Donne 1 L (1 pte), largement.

VINAIGRE AUX FINES HERBES

On peut y faire macérer une viande, ou en arroser une salade.

Brin de basilic, 13 mm (5 po) de long	1	1
Brin d'origan, 13 mm (5 po) de long	1	1
Vinaigre blanc	**2 tasses**	**450 mL**

Mettre le basilic et l'origan dans un récipient hermétique de 500 mL (1 chopine) ou dans une haute bouteille étroite. Remplir de vinaigre. Boucher hermétiquement. Laisser reposer 4 semaines dans un endroit frais. On peut ôter les brins de fines herbes ou les laisser dans le vinaigre, au goût. Se conserve au moins 1 an. Donne 500 mL (1 chopine).

VINAIGRE AUX FRAMBOISES

Le goût est aussi délicat que la couleur. Ce vinaigre est particulièrement bon avec une salade verte ou une salade de fruits.

Framboises, broyées	**$^1/_2$ tasse**	**125 mL**
Vinaigre blanc, pour remplir		

Mettre les framboises dans un bocal de 500 mL (1 chopine). Remplir le bocal de vinaigre et le boucher. Laisser reposer sur le comptoir pendant 1 semaine. Passer au tamis. Verser le vinaigre dans une bouteille décorative. On peut laisser les framboises dans le vinaigre pendant plusieurs semaines pour que leur goût soit plus prononcé. Se conserve au moins 1 an. Donne environ 250 mL (1 demiard).

Photo à la page 17.

VINAIGRETTE AUX FRAMBOISES : Incorporer du sucre granulé ou de l'édulcorant liquide au vinaigre pour faire une délicieuse vinaigrette à salade.

VINAIGRE AU BASILIC

Pour faire un joli cadeau, mettre un brin de basilic frais dans une bouteille décorative et y ajouter du vinaigre passé au tamis. Ce vinaigre est servi sur une salade de pâtes et de tomates.

Brins de basilic	2 ou 3	2 ou 3
Vinaigre blanc	2 tasses	500 mL

Mettre le basilic dans un bocal. Ajouter le vinaigre. Boucher le bocal et le laisser reposer dans un endroit frais pendant 4 semaines. Goûter le vinaigre pour voir si le goût du basilic est assez prononcé. Le cas échéant, le passer au tamis. Sinon, le laisser reposer quelques jours de plus. On peut laisser un brin de basilic dans la bouteille comme décoration. Se conserve au moins 1 an. Donne environ 500 mL (1 chopine).

Photo à la page 17.

VINAIGRE À LA CIBOULETTE

Ce vinaigre peut remplacer le vinaigre ordinaire dans n'importe quelle recette.

Ciboulette, en brins de la longueur du bocal ou de 2,5 cm (1 po) de long		
Zeste de citron, en carrés de 2,5 cm (1 po)	1	1
Poivre noir en grains	4	4
Graines de moutarde	3	3
Vinaigre blanc, pour remplir		

Remplir un bocal de 500 mL (1 chopine) de ciboulette. Y ajouter le zeste de citron, les grains de poivre et les graines de moutarde. Remplir le bocal de vinaigre et le boucher. Laisser reposer au frais pendant 4 semaines. Passer la préparation au tamis et recueillir le vinaigre dans une bouteille décorative. On peut laisser quelques brins de ciboulette dans la bouteille comme décoration. Se conserve au moins 1 an. Donne environ 500 mL (1 chopine).

Photo à la page 17.

VINAIGRE AUX BLEUETS

Ce vinaigre est coloré. Il sert à assaisonner les salades.

Bleuets	$^3/_4$ tasse	175 mL
Vinaigre blanc, pour remplir		

Écraser les bleuets et les mettre dans un bocal de 500 mL (1 chopine). Remplir le bocal de vinaigre. Le boucher et laisser le vinaigre reposer au frais pendant 3 jours, en le remuant tous les jours. Le passer au tamis au bout de 3 jours ou attendre plus longtemps pour que le goût des bleuets soit plus prononcé. Se conserve au moins 1 an. Donne environ 250 mL (1 demiard).

VINAIGRE À L'ANETH

Il faut l'essayer avec du poisson.

Bouquets d'aneth	2	2
Vinaigre blanc	3/4 tasse	175 mL
Vinaigre de cidre	1/4 tasse	60 mL

Mettre les bouquets d'aneth dans un bocal de 500 mL (1 chopine). Remplir le bocal avec un mélange des deux vinaigres. Le boucher et le laisser reposer au frais pendant 3 semaines. Passer le vinaigre au tamis ou y laisser l'aneth plus longtemps pour que le goût soit plus prononcé. On peut laisser un petit morceau du bouquet dans la bouteille comme décoration. Se conserve au moins 1 an. Donne environ 250 mL (1 demiard).

Photo à la page 17.

VINAIGRE À L'AIL

Ce vinaigre est facile à préparer, et il se conserve longtemps.

Gousses d'ail, en moitiés	6	6
Jus de citron, frais ou en bouteille	2 c. à thé	10 mL
Poivre noir en grains	10	10
Vinaigre blanc ou de cidre	2 tasses	500 mL

Mettre l'ail, le jus de citron et les grains de poivre dans un bocal de 500 mL (1 chopine) ou une haute bouteille étroite. Remplir de vinaigre. Boucher hermétiquement. Laisser reposer 6 semaines dans un endroit frais. Quand l'arôme est assez prononcé, passer le vinaigre au tamis. Se conserve au moins 1 an. Donne 500 mL (1 chopine).

HUILE À L'AIL

Elle est idéale pour faire revenir des petits croûtons.

Gousses d'ail, pelées	2	2
Huile de canola (ou d'olive)	1/2 tasse	125 mL

Couper les gousses d'ail en quatre et les mettre avec l'huile de canola dans un bocal. Boucher le bocal et le laisser reposer 3 ou 4 jours au réfrigérateur. Ôter l'ail. À employer dans des salades ou pour badigeonner de la viande cuite sur le gril. Ne se conserve pas plus de 2 semaines et seulement au réfrigérateur. Donne 125 mL (1/2 tasse).

Photo à la page 17.

HUILE À L'ANETH : Substituer 1 brin d'aneth aux gousses d'ail.

VINAIGRE À L'ESTRAGON

Ce vinaigre est particulièrement bon sur du poisson ou du poulet.

Brins d'estragon, environ 13 cm (5 po) de long	4	4
Gousse d'ail, pelée	1	1
Zeste de citron, en carrés de 2,5 cm (1 po)	2	2
Poivre noir en grains	5	5
Vinaigre blanc, pour remplir		

Remplir un bocal de 500 mL (1 chopine) d'estragon, en veillant à ne pas l'abîmer. Y ajouter la gousse d'ail, le zeste de citron et les grains de poivre. Remplir le bocal de vinaigre et le boucher. Le laisser reposer dans un endroit frais pendant 4 semaines. Passer le vinaigre au tamis. Laisser un brin d'estragon dans la bouteille comme décoration. Se conserve au moins 1 an. Donne tout juste 500 mL (1 chopine).

VINAIGRE DE VIN ROUGE À L'ESTRAGON : Substituer du vinaigre de vin rouge au vinaigre blanc.

Photo à la page 17.

HUILE À BARBECUE

Cette huile peut être badigeonnée sur un bifteck, des fruits de mer ou n'importe quelle viande avant de les mettre sur le gril. Elle est également bonne dans une salade ou pour faire frire des croûtons.

Gousses d'ail, pelées	2	2
Feuilles de laurier	2	2
Poivre noir en grains	5	5
Graines de moutarde	4	4
Lamelles d'oignon	2	2
Huile de canola (ou huile d'olive)	$1/2$ tasse	125 mL

Mettre les 5 premiers ingrédients dans un bocal de 125 mL ($1/2$ tasse).

Remplir le bocal d'huile de canola et le boucher. Laisser l'huile reposer au réfrigérateur pendant au moins 4 jours avant de l'utiliser. Ne se conserve pas plus de 2 semaines, et seulement au réfrigérateur. Donne 250 mL (1 demiard).

HUILE AUX FINES HERBES

Cette huile est bonne sur une viande grillée, des fruits de mer ou dans une salade. Elle donne aussi un parfum exquis aux croûtons frits.

Brin de romarin, environ 10 cm (4 po) de long	1	1
Brin de basilic	1	1
Brin de thym		
Zeste de citron, 5 × 12 mm (2 × $^1/_2$ po)	1	1
Zeste d'orange, 5 × 12 mm (2 × $^1/_2$ po)	1	1
Petit piment rouge fort entier ou 2 ou 3 lanières de poivron rouge		
Clous de girofle entiers	2	2
Graines de moutarde	6	6
Poivre noir en grains	2	2
Huile de canola (ou huile d'olive)	1 tasse	250 mL

Mettre les 9 premiers ingrédients dans une bouteille haute et étroite de 250 mL (1 tasse).

Remplir la bouteille d'huile de canola. En mettre plus ou moins que la quantité indiquée, mais assez pour remplir la bouteille. Boucher. Laisser l'huile reposer dans un endroit sombre et frais ou au réfrigérateur pendant au moins 1 semaine avant de l'utiliser. Donne 250 mL (1 demiard).

VINAIGRE D'HIVER

Ce vinaigre donne un arôme particulier à une vinaigrette.

Graines de céleri	2 c. à soupe	30 mL
Persil en flocons	$^1/_3$ tasse	75 mL
Poivre noir en grains	1 c. à thé	5 mL
Sucre granulé	1 c. à soupe	15 mL
Poudre d'oignon	$^1/_2$ c. à thé	2 mL
Poudre d'ail	$^1/_4$ c. à thé	1 mL
Graines de moutarde	$^1/_4$ c. à thé	1 mL
Clous de girofle entiers	3	3
Feuille de laurier	1	1
Vinaigre blanc	3 tasses	700 mL

Mettre les 9 premiers ingrédients dans une bouteille de 1 L (1 pte).

Ajouter le vinaigre. Boucher la bouteille. Laisser reposer 2 semaines dans un endroit frais. Passer le vinaigre au tamis, tapissé d'une étamine double, avant de l'utiliser. Pour utiliser le vinaigre le jour même, porter le mélange des ingrédients à ébullition. Retirer du feu. Laisser reposer 2 heures. Passer au tamis. Se conserve au moins 1 an. Donne tout juste 750 mL (1 $^1/_2$ chopine).

Photo à la page 17.

CONVERSION MÉTRIQUE

Dans cet ouvrage, les quantités sont données en mesures standard et métriques. Pour compenser l'écart entre les quantités quand elles sont arrondies, une pleine mesure métrique n'est pas toujours utilisée. La tasse correspond aux huit onces liquides courantes. La température est donnée en degrés Fahrenheit et Celsius. Les dimensions des moules et des récipients sont en pouces et en centimètres ainsi qu'en pintes et en litres. Une table de conversion métrique exacte, avec l'équivalence pratique (mesure courante), suit.

TEMPÉRATURES DU FOUR

Fahrenheit (°F)	Celsius (°C)
175°	80°
200°	95°
225°	110°
250°	120°
275°	140°
300°	150°
325°	160°
350°	175°
375°	190°
400°	205°
425°	220°
450°	230°
475°	240°
500°	260°

CUILLERÉES

Mesure courante	Métrique Conversion exacte, en millilitres (mL)	Métrique Conversion courante, en millilitres (mL)
1/4 cuillerée à thé (c. à thé)	1,2 mL	1 mL
1/2 cuillerée à thé (c. à thé)	2,4 mL	2 mL
1 cuillerée à thé (c. à thé)	4,7 mL	5 mL
2 cuillerées à thé (c. à thé)	9,4 mL	10 mL
1 cuillerée à soupe (c. à soupe)	14,2 mL	15 mL

TASSES

1/4 tasse (4 c. à soupe)	56,8 mL	50 mL
1/3 tasse (5 1/3 c. à soupe)	75,6 mL	75 mL
1/2 tasse (8 c. à soupe)	113,7 mL	125 mL
2/3 tasse (10 2/3 c. à soupe)	151,2 mL	150 mL
3/4 tasse (12 c. à soupe)	170,5 mL	175 mL
1 tasse (16 c. à soupe)	227,3 mL	250 mL
4 1/2 tasses	1 022,9 mL	1 000 mL (1 L)

MESURES SÈCHES

Onces (oz)	Grammes (g)	Grammes (g)
1 oz	28,3 g	30 g
2 oz	56,7 g	55 g
3 oz	85.0 g	85 g
4 oz	113,4 g	125 g
5 oz	141,7 g	140 g
6 oz	170,1 g	170 g
7 oz	198,4 g	200 g
8 oz	226,8 g	250 g
16 oz	453,6 g	500 g
32 oz	907,2 g	1 000 g (1 kg)

MOULES, RÉCIPIENTS

Standard, en pouces	Métrique, en centimètres	Standard, en pintes	Métrique, en litres
8x8 po	20x20 cm	1 2/3 pte	2 L
9x9 po	22x22 cm	2 pte	2,5 L
9x13 po	22x33 cm	3 1/3 pte	4 L
10x15 po	25x38 cm	1 pte	1,2 L
11x17 po	28x43 cm	1 1/4 pte	1,5 L
8x2 po (rond)	20x5 cm	1 2/3 pte	2 L
9x2 po (rond)	22x5 cm	2 pte	2,5 L
10x4 1/2 po (cheminée)	25x11 cm	4 1/4 pte	5 L
8x4x3 po (pain)	20x10x7 cm	1 1/4 pte	1,5 L
9x5x3 po (pain)	23x12x7 cm	1 2/3 pte	2 L

INDEX

Abricots
  beurre 15
  chutney 25
  confiture 44
  crème 20
  fausse confiture 45
  purée 14
  sirop 135
  tablettes 55
Abricots au sirop 32
Ail
  cornichons 99
  huile aromatisée 148
  vinaigre aromatisé 148
Ail au vinaigre 65
Aliments pour bébés
  abricots, purée 14
  betteraves, purée 13
  bœuf, purée 10
  carottes, purée 11
  haricots verts, purée 13
  nectarines, purée 14
  pêches, purée 14
  petits pois, purée 11
  poires, purée 14
  pommes, purée 12
  porc, purée 10
  poulet, purée 12
  pruneaux, purée 14
  ragoût de bœuf, purée 10
  ragoût de porc, purée 10
  veau, purée 10
Amélanches au sirop 32
Ananas
  chutney 22
  marmelade d'oranges et d'ananas ... 59
Aneth
  carottes 77
  cornichons 79
  cornichons en quantité 79
  cornichons extra 78
  cornichons sucrés 93
  cornichons sucrés 98
  courgettes 92
  haricots 80
  huile aromatisée 148
  vinaigre aromatisé 148
Antipasto 21
Asperges 109

Bain d'eau chaude 8
Bananes
  beurre 19
  chutney 20
Basilic
  vinaigre aromatisé 147
Betteraves 109
  gelée aux framboises 40
  gelée citronnée 37
  purée 13
  relish 127
Betteraves au citron marinées 91
Betteraves au vinaigre 91
Betteraves et chou marinés 102

Betteraves marinées 66
Betteraves marinées épicées 100
Betteraves marinées rapides 100
Betteraves marinées sucrées 85
Bettes
  relish 122
Beurres
  abricots 15
  bananes 19
  fraises 14
  pêches 15
  pommes 16
  pruneaux 15
Bleuets
  confiture de bleuets et de rhubarbe ... 48
  sirop 137
  vinaigre aromatisé 147
Bleuets au sirop 32
Bocaux, fermeture 34
Bœuf
  boulettes 111
  charqui 56
  galettes 111
  purée 10
  ragoût 113
  ragoût, purée 10
  saucisson d'été 51
  soupe 116
Bœuf en conserve 117
Boissons
  concentré de cerises de Nankin 30
  concentré de fraises 30
  concentré de framboises 30
  concentré de limonade 29
  jus de tomates 30
Boulettes de bœuf haché 111

Canneberges
  chutney 23
  gelée 135
  ketchup 140
  sauce 135
Cantaloup au vinaigre 94
Cari
  cornichons 82
  fruits 33
Carottes 110
  marmelade 62
  purée 11
  relish 124
Carottes à l'aneth 77
Cassis
  confiture 50
  gelée 39
Céleri
  flocons 51
Cerises
  concentré de cerises de Nankin 30
  garniture de tarte 102
  gelée de cerises de Virginie 44
Cerises au sirop 32
Cerises au vinaigre 94
Charqui de bœuf 56
Charqui de dinde 58

Charqui de jambon 52
Charqui fumé 56
Charqui simple 57
Chou
  betteraves et chou marinés 102
  choucroute 142
Chou-fleur
  relish de chou-fleur et
    concombres 128
Choucroute 142
Chow chow des Maritimes 69
Chutneys
  abricots 25
  ananas 22
  bananes 20
  canneberges 23
  mangues 26
  pêches 24
  poires 24
  poivrons rouges 25
  pommes 22
  rhubarbe 27
  tomates 23
Ciboulette
  vinaigre aromatisé 147
Citron
  betteraves marinées 91
  concentré de limonade 29
  crème 19
  gelée de betteraves 37
Citrouille au vinaigre 95
Concentrés
  cerises de Nankin 30
  fraises 30
  framboises 30
  limonade 29
Concombres
  relish à la moutarde 120
  relish de chou-fleur 128
  rondelles épicées 76
Condiments à l'aneth
  carottes 77
  cornichons 79
  cornichons en quantité 79
  cornichons extra 78
  cornichons sucrés 93
  cornichons sucrés 98
  courgettes 92
  haricots 80
Condiments au vinaigre
  ail 65
  betteraves 91
  betteraves au citron marinées 91
  betteraves marinées 66
  betteraves marinées sucrées 85
  cantaloup 94
  carottes à l'aneth 77
  cerises 94
  chow chow des Maritimes 69
  citrouille 95
  cornichons à l'aneth 79
  cornichons à l'aneth extra 78
  cornichons au cari 82
  cornichons du millionnaire 82
  cornichons genre gherkin 86
  cornichons hollandais 86
  cornichons sucrés à l'aneth 93
  cornichons sucrés à la moutarde.... 74

cornichons sucrés tranchés 84
courgettes à l'aneth 92
courgettes marinées 87
écorce de melon d'eau marinée 68
haricots à l'aneth 80
haricots à la moutarde 81
marinades sucrées 84
melon d'eau 92
oignons 75
papayes marinées 65
pêches 80
piccalilli 70
pickles à la Lady Ross 67
pois mange-tout 76
poivrons 83
pommettes épicées 88
raisins 95
rondelles de concombres épicées... 76
trio de légumes marinés 73
Condiments épicés
  betteraves marinées 100
  pommettes 88
  prunes 132
  rondelles de concombres 76
Condiments frais
  betteraves et chou marinés 102
  betteraves marinées 100
  betteraves marinées rapides 100
  cornichons à l'ail 99
  cornichons à l'aneth sucrés 98
  cornichons au congélateur 96
  cornichons colorés 97
  cornichons en tonneau 96
  cornichons sans cuisson 97
  haricots à la moutarde rapides 98
  légumes d'été au vinaigre 99
  œufs marinés au poivre 100
  œufs marinés sucrés 101
Condiments sucrés
  betteraves marinées 85
  cornichons à l'aneth 93
  cornichons à l'aneth 98
  cornichons à la moutarde 74
  cornichons tranchés........................ 84
  marinades 84
  œufs marinés 101
  relish 130
Confitures
  abricots 44
  abricots, fausse 45
  bleuets et de rhubarbe 48
  cassis 50
  courgettes et de pêches 49
  fraises 41
  fraises, congélateur 45
  fraises simulée 38
  fraises surgelée 39
  framboises 43
  framboises, congélateur 45
  framboises fouettée 47
  framboises simulée 38
  groseilles 49
  mûres de Logan 43
  mûres sauvages 43
  pêches, congélateur 50
  pêches et fraises 50
  pêches simulée 38
  tomates extra 42

Congé-fiture de fraises...................... 45
Congé-fiture de framboises.............. 45
Congé-fiture de pêches...................... 50
Congélateur
  congé-fiture de fraises 45
  congé-fiture de framboises 45
  congé-fiture de pêches 50
  cornichons au congélateur............. 96
  tomates congelées..........................139
Conserve de pêches 41
Conserves
  bœuf en conserve..........................117
  poisson en conserve......................115
  porc en conserve 117
  poulet en conserve 115
  saumon en conserve 114
  tomates en conserve 141
Conserves sucrées 34
Cornichons
  ail 99
  aneth.. 79
  aneth en quantité............................. 79
  aneth extra....................................... 78
  aneth sucrés 98
  cari... 82
  colorés 97
  congélateur....................................... 96
  genre gherkin.................................... 86
  hollandais.. 86
  millionnaire.. 82
  sans cuisson..................................... 97
  sucrés à l'aneth................................ 93
  sucrés à la moutarde 74
  sucrés tranchés 84
  tonneau.. 96
Courgettes
  confiture de courgettes et
    de pêches 49
  marmelade.. 63
  relish 117
Courgettes à l'aneth 92
Courgettes marinées.......................... 87
Crèmes
  abricot... 20
  citron... 19

Écorce de melon d'eau marinée 68
Estragon
  vinaigre aromatisé 149
  vinaigre de vin rouge aromatisé.....149

Fausse confiture d'abricots 45
Fausse gelée de raisins 48
Fines herbes
  huile aromatisée 150
  vinaigre aromatisé 146
Flocons de céleri 51
Flocons de persil 51
Fraises
  beurre 14
  concentré 30
  confiture 41
  confiture de pêches et de fraises.... 50
  confiture simulée.............................. 38
  confiture surgelée 39
  congé-fiture....................................... 45
  tablettes 55
Fraises au sirop.................................. 32

Framboises
  concentré 30
  confiture 43
  confiture fouettée 47
  confiture simulée 38
  congé-fiture....................................... 45
  gelée 37
  gelée de betteraves aux
    framboises 40
  vinaigre aromatisé 146
  vinaigrette...146
Framboises au sirop 32
Fruits
  mincemeat 103
  rhumtopf.. 31
Fruits au cari 33
Fruits au sirop
  abricots 32
  amélanches 32
  bleuets 32
  cerises 32
  fraises 32
  framboises 32
  mûres de Logan................................ 32
  pêches 32
  poires 32
  pommettes.. 32
  prunes à pruneaux 32
Fruits au sucre 31

Gadelles
  gelée 46
Galettes de bœuf haché....................111
Garnitures de tarte
  cerises 102
  mincemeat aux fruits........................103
  mincemeat aux poires.......................104
  mincemeat aux tomates vertes.......105
  pommes 106
Gelées
  betteraves aux framboises 40
  betteraves citronnée 37
  canneberges 135
  cassis.. 39
  cerises de Virginie 44
  framboises 37
  gadelles 46
  menthe... 42
  merises 44
  piments forts 47
  pommes... 46
  pommettes.. 46
  porto.. 40
  raisins, fausse.................................. 48
  vin 40
  vin dorée 40
  vin mauve 40
Groseilles
  confiture.. 49

Haricots à l'aneth 80
Haricots à la moutarde rapides 98
Haricots à la moutarde 81
Haricots au porc 112
Haricots express 140
Haricots jaunes 109
Haricots verts 109
  purée... 13

Huiles aromatisées
  ail 148
  aneth 148
  barbecue 149
  fines herbes 150

Jus de tomates 30

Ketchup 139
Ketchup à la rhubarbe 141
Ketchup aux canneberges 140
Kiwis
  tablettes 55

Légumes d'été au vinaigre 99
Légumes en conserve
  asperges 109
  betteraves 109
  carottes 110
  choucroute 142
  haricots express 140
  haricots jaunes 109
  haricots verts 109
  maïs en crème 110
  maïs en grains 110
  petits pois 100
  tomates à l'étuvée 112
  tomates en conserve 141

Maïs
  relish 121
Mangues
  chutney 26
Marinades sucrées 84
Marmelades
  agrumes 62
  carottes 62
  courgettes 63
  noix de Grenoble 64
  oranges 61
  oranges et ananas 59
  pêches et oranges 60
  pêches et poires 64
  poires au gingembre 60
  pommes 59
  rhubarbe 63
  rhubarbe dorée 61
Melon d'eau
  écorce marinée 68
Melon d'eau au vinaigre 92
Menthe
  gelée 42
Merises
  gelée 44
Miel
  sauce à la moutarde 145
Mincemeat aux fruits 103
Mincemeat aux poires 104
Mincemeat aux tomates vertes 105
Mincepie 103
Mincepie aux poires 104
Mincepie aux tomates vertes 105
Mise en conserve sous pression 109
Mousseline à gelée 8
Moutarde
  cornichons sucrés 74
  haricots 81
  haricots rapides 98
  relish de concombres 120
  sauce au miel 145
Moutarde dorée 145
Mûres de Logan
  confiture 32
Mûres de Logan au sirop 32
Mûres sauvages
  confiture 43
Nectarines
  purée 14
Noix
  marmelade de noix de Grenoble 64

Œufs marinés aux poivrons 100
Œufs marinés sucrés 101
Oignons au vinaigre 75
Oranges
  marmelade 61
  marmelade d'oranges et d'ananas ... 59
  marmelade de pêches et d'oranges ... 60

Papayes marinées 65
Pêches
  beurre 15
  chutney 24
  confiture de courgettes et
    de pêches 49
  confiture de pêches et de fraises 50
  confiture simulée 38
  congé-fiture 50
  conserve 41
  marmelade de pêches et d'oranges ... 60
  marmelade de pêches et de poires ... 64
  purée 14
Pêches au sirop 32
Pêches au vinaigre 80
Persil
  flocons 51
Petits pois
  purée 11
Picante salsa 28
Picante salsa simple 29
Piccalilli 70
Pickles à la Lady Ross 67
Piments forts
  gelée 47
Poires
  chutney 24
  marmelade de pêches et de poires ... 64
  marmelade de poires au gingembre . 60
  mincemeat aux poires 104
  mincepie aux poires 104
  purée 14
Poires au sirop 32
Pois mange-tout au vinaigre ... 76
Poisson en conserve 115
Poivrons
  chutney 25
Poivrons au vinaigre 83
Pommes
  beurre 16
  chutney 22
  garniture de tarte 106
  gelée 46
  marmelade 59
  purée 12
  relish 123
  tablettes 55

Pommettes
  gelée 46
Pommettes au sirop 32
Pommettes épicées........................... 88
Porc
  haricots 112
  purée 10
  ragoût, purée 10
Porc en conserve 117
Poulet
  purée 12
  saucisson....................................... 57
Poulet en conserve 115
Pruneaux
  beurre 15
  purée 14
Prunes à pruneaux au sirop 32
Prunes épicées 132
Purées
  abricots 14
  betteraves...................................... 13
  bœuf 10
  carottes 11
  haricots verts 13
  nectarines 14
  pêches 14
  petits pois...................................... 11
  poires 14
  pommes 12
  porc.. 10
  poulet... 12
  pruneaux.. 14
  ragoût de bœuf 10
  ragoût de porc 10
  veau... 10

Ragoût de bœuf 113
Raisins
  fausse gelée 48
Raisins au vinaigre............................ 95
Relishes..130
  à l'indienne..................................... 131
  betteraves..................................... 127
  bettes à carde 122
  carottes 124
  chou-fleur et concombres............. 128
  concombres à la moutarde 120
  courgettes..................................... 117
  doré.. 119
  maïs... 121
  mille-Îles....................................... 118
  millionnaire.................................... 129
  pommes 123
  Prairies.. 127
  rhubarbe.. 128
Rhubarbe
  chutney.. 27
  confiture de bleuets et de rhubarbe... 48
  ketchup.. 141
  marmelade..................................... 63
  marmelade dorée............................ 61
  relish.. 128
Rhumtopf... 31
Rondelles de concombres épicées ... 76

Salsa mexicaine 26
Salsas
  picante salsa 28
  picante salsa simple 29
Sandwich..
  tartinade 138
Sauces
  aigre-douce....................................133
  barbecue..136
  canneberges 135
  chili..134
  chili d'hiver.....................................133
  moutarde et miel 145
  spaghetti à la viande......................135
  tomate..134
Saucisson au poulet 57
Saucisson d'été 51
Saumon en conserve 114
Sirops
  à crêpes 132
  abricots 135
  bleuets 137
Soupe au bœuf 116
Soupe de tomates 114

Tablettes
  abricots 55
  fraises 55
  kiwis 55
  pommes 55
Tartinade à sandwich 138
Tomates
  chutney.. 23
  confiture extra 42
  jus.. 30
  soupe...114
Tomates à l'étuvée............................112
Tomates congelées............................139
Tomates en conserve.........................141
Tomates séchées..............................137
Tomates vertes
  mincemeat 105
  mincepie 105
Trio de légumes marinés................... 73

Vérification, confitures, conserves
  et marmelades 34
Vérification, gelées............................ 34
Vin
  gelée.. 40
  gelée dorée.................................... 40
  gelée mauve 40
Vinaigres aromatisés
  ail...148
  aneth..148
  basilic..147
  bleuets 147
  ciboulette 147
  estragon...149
  fines herbes 146
  framboises 146
  hiver...150
  vin rouge à l'estragon 149
Vinaigrette aux framboises...............146

Si vous ne trouvez pas les livres de cuisine Jean Paré dans votre magasin préféré, demandez au propriétaire de communiquer avec nous. En attendant, nous vous invitons à profiter de notre pratique service de commande par correspondance.

Cochez les cases qui correspondent aux titres qui vous intéressent puis remplissez le verso et faites-nous parvenir votre commande avec votre paiement.

Vous achetez pour offrir? Faites-nous parvenir un petit mot ou une carte et nous l'inclurons avec votre commande.

Remise de 5 $ sur chaque tranche de 35 $ du montant total de la commande.

Voir au verso.

ÉCONOMISEZ 5 $

Jean Paré
LIVRES DE CUISINE

Company's Coming Publishing Limited
C.P. 8037, succursale F
Edmonton (Alberta) Canada T6H 4N9
Tél. : (403) 450-6223 (en anglais)

COUPON DE COMMANDE PAR CORRESPONDANCE

FRANÇAIS

QUANTITÉ • LIVRES À COUVERTURE SOUPLE •

150 délicieux carrés		Recettes légères
Les casseroles		Les salades
Muffins et plus		La cuisson au micro-ondes
Les dîners		Les pâtes
Les barbecues		Les conserves
Les tartes		Les casseroles légères
Délices des fêtes		(septembre 1994)

NOMBRE DE LIVRES   **COÛT TOTAL**

TOTAL 10,95 $ + 1,50 $ (frais d'expédition) = 12,45 $ l'exemplaire x [ ] = [ ] $

QUANTITÉ • LIVRE À COUVERTURE RIGIDE •

Jean Paré's Favorites - Volume One

NOMBRE DE LIVRES   **COÛT TOTAL**

TOTAL 17,95 $ + 1,50 $ (frais d'expédition) = 19,45 $ l'exemplaire x [ ] = [ ] $

ANGLAIS

QUANTITÉ • LIVRES À COUVERTURE SOUPLE •

150 Delicious Squares		Pasta
Casseroles		Cakes
Muffins & More		Barbecues
Salads		Dinners of the World
Appetizers		Lunches
Desserts		Pies
Soups & Sandwiches		Light Recipes
Holiday Entertaining		Microwave Cooking
Cookies		Preserves
Vegetables		Light Casseroles
Main Courses		(septembre 1994)

NOMBRE DE LIVRES   **COÛT TOTAL**

TOTAL 10,95 $ + 1,50 $ (frais d'expédition) = 12,45 $ l'exemplaire x [ ] = [ ] $

QUANTITÉ • COLLECTION PINT SIZE •

Finger Food	
Party Planning	
Buffets	

NOMBRE DE LIVRES   **COÛT TOTAL**

TOTAL 4,99 $ + 1,00 $ (frais d'expédition) = 5,99 $ l'exemplaire x [ ] = [ ] $

* Veuillez remplir le dos de ce coupon *

MONTANT TOTAL DE LA COMMANDE [ ] $
(À reporter au verso)

Remise de 5 $ sur chaque tranche de 35 $ du montant total de la commande.

LIVRES DE CUISINE

Company's Coming Publishing Limited
C.P. 8037, succursale F
Edmonton (Alberta) Canada T6H 4N9
Tél. : (403) 450-6223 (en anglais)

COUPON DE COMMANDE PAR CORRESPONDANCE

MONTANT TOTAL DE LA COMMANDE (reporté)	$
Moins remise de 5 $ sur chaque tranche de 35 $ −	$
SOUS-TOTAL	$
T.P.S. (7 %) au Canada seulement +	$
MONTANT TOTAL INCLUS	$

- **FAIRE LE CHÈQUE OU LE MANDAT À :** *COMPANY'S COMING PUBLISHING LIMITED.*

- **COMMANDES HORS CANADA :** *Doivent être réglées en devises américaines par chèque ou mandat tiré sur une banque canadienne ou américaine.*

- *Prix susceptibles de changer sans préavis.*

- *Désolé, pas de paiement sur livraison.*

Offrez le plaisir de la bonne chère

- Laissez-nous vous simplifier la vie!
- Nous expédierons directement, en cadeau de votre part, des livres de cuisine aux destinataires dont vous nous fournissez les noms et adresses.
- N'oubliez pas de préciser le titre des livres que vous voulez offrir à chaque personne.
- Vous pouvez même nous faire parvenir un mot ou une carte à l'intention du destinataire. Nous nous ferons un plaisir de l'inclure avec les livres.

ADRESSE DU DESTINATAIRE

Veuillez expédier, en cadeau de ma part, les Livres de cuisine Jean Paré cochés à l'endos de ce coupon à :

Nom :

Rue :

Ville :   Province ou État :

Code postal ou zip :   Tél. : (   )

Les Livres de cuisine Jean Paré font toujours des heureux. Anniversaires, réceptions données en l'honneur d'une future mariée, fête des Mères ou des Pères, graduation... ce ne sont pas les occasions qui manquent. Collectionnez-les tous!

Et n'oubliez pas de joindre un mot ou une carte à votre commande pour que nous puissions l'inclure avec votre cadeau.

Si vous ne trouvez pas les livres de cuisine Jean Paré dans votre magasin préféré, demandez au propriétaire de communiquer avec nous. En attendant, nous vous invitons à profiter de notre pratique service de commande par correspondance.

Cochez les cases qui correspondent aux titres qui vous intéressent puis remplissez le verso et faites-nous parvenir votre commande avec votre paiement.

Vous achetez pour offrir? Faites-nous parvenir un petit mot ou une carte et nous l'inclurons avec votre commande.

Remise de 5 $ sur chaque tranche de 35 $ du montant total de la commande.

Voir au verso.

Jean Paré
LIVRES DE CUISINE

ÉCONOMISEZ 5 $

Company's Coming Publishing Limited
C.P. 8037, succursale F
Edmonton (Alberta) Canada T6H 4N9
Tél. : (403) 450-6223 (en anglais)

COUPON DE COMMANDE PAR CORRESPONDANCE

FRANÇAIS

QUANTITÉ • LIVRES À COUVERTURE SOUPLE •

[ ]	150 délicieux carrés	[ ]	Recettes légères
[ ]	Les casseroles	[ ]	Les salades
[ ]	Muffins et plus	[ ]	La cuisson au micro-ondes
[ ]	Les dîners	[ ]	Les pâtes
[ ]	Les barbecues	[ ]	Les conserves
[ ]	Les tartes	[ ]	Les casseroles légères
[ ]	Délices des fêtes		(septembre 1994)

NOMBRE DE LIVRES   COÛT TOTAL

TOTAL 10,95 $ + 1,50 $ (frais d'expédition) = 12,45 $ l'exemplaire x [ ] = [ ] $

QUANTITÉ • LIVRE À COUVERTURE RIGIDE •

[ ] Jean Paré's Favorites - Volume One

NOMBRE DE LIVRES   COÛT TOTAL

TOTAL 17,95 $ + 1,50 $ (frais d'expédition) = 19,45 $ l'exemplaire x [ ] = [ ] $

ANGLAIS

QUANTITÉ • LIVRES À COUVERTURE SOUPLE •

[ ]	150 Delicious Squares	[ ]	Pasta
[ ]	Casseroles	[ ]	Cakes
[ ]	Muffins & More	[ ]	Barbecues
[ ]	Salads	[ ]	Dinners of the World
[ ]	Appetizers	[ ]	Lunches
[ ]	Desserts	[ ]	Pies
[ ]	Soups & Sandwiches	[ ]	Light Recipes
[ ]	Holiday Entertaining	[ ]	Microwave Cooking
[ ]	Cookies	[ ]	Preserves
[ ]	Vegetables	[ ]	Light Casseroles
[ ]	Main Courses		(septembre 1994)

NOMBRE DE LIVRES   COÛT TOTAL

TOTAL 10,95 $ + 1,50 $ (frais d'expédition) = 12,45 $ l'exemplaire x [ ] = [ ] $

QUANTITÉ • COLLECTION PINT SIZE •

[ ] Finger Food
[ ] Party Planning
[ ] Buffets

NOMBRE DE LIVRES   COÛT TOTAL

TOTAL 4,99 $ + 1,00 $ (frais d'expédition) = 5,99 $ l'exemplaire x [ ] = [ ] $

---

* Veuillez remplir le dos de ce coupon *

MONTANT TOTAL DE LA COMMANDE [ ] $
(À reporter au verso)

Remise de 5 $ sur chaque tranche de 35 $ du montant total de la commande.

LIVRES DE CUISINE

Company's Coming Publishing Limited
C.P. 8037, succursale F
Edmonton (Alberta) Canada T6H 4N9
Tél. : (403) 450-6223 (en anglais)

COUPON DE COMMANDE PAR CORRESPONDANCE

MONTANT TOTAL DE LA COMMANDE (reporté)	$
Moins remise de 5 $ sur chaque tranche de 35 $ —	$
SOUS-TOTAL	$
T.P.S. (7 %) au Canada seulement +	$
MONTANT TOTAL INCLUS	$

- **FAIRE LE CHÈQUE OU LE MANDAT À :** *COMPANY'S COMING PUBLISHING LIMITED.*

- **COMMANDES HORS CANADA :** *Doivent être réglées en devises américaines par chèque ou mandat tiré sur une banque canadienne ou américaine.*

- *Prix susceptibles de changer sans préavis.*

- *Désolé, pas de paiement sur livraison.*

Offrez le plaisir de la bonne chère

- Laissez-nous vous simplifier la vie!
- Nous expédierons directement, en cadeau de votre part, des livres de cuisine aux destinataires dont vous nous fournissez les noms et adresses.
- N'oubliez pas de préciser le titre des livres que vous voulez offrir à chaque personne.
- Vous pouvez même nous faire parvenir un mot ou une carte à l'intention du destinataire. Nous nous ferons un plaisir de l'inclure avec les livres.

ADRESSE DU DESTINATAIRE

Veuillez expédier, en cadeau de ma part, les Livres de cuisine Jean Paré cochés à l'endos de ce coupon à :

Nom :

Rue :

Ville :   Province ou État :

Code postal ou zip :   Tél. : ( )

Les Livres de cuisine Jean Paré font toujours des heureux. Anniversaires, réceptions données en l'honneur d'une future mariée, fête des Mères ou des Pères, graduation... ce ne sont pas les occasions qui manquent. Collectionnez-les tous!

Et n'oubliez pas de joindre un mot ou une carte à votre commande pour que nous puissions l'inclure avec votre cadeau.